DAS BI-BA-BASTELBUCH

DURCHS JAHR

LISA VOGEL

ÜBER 45 VERBASTEL-PROJEKTE

EMF

EIN BUCH DER EDITION MICHAEL FISCHER

INHALT

Vorwort 4
Der Aufbau dieses Buchs 5
Dein Bastel-Sammelsurium 6
Vorlagen übertragen 9

HALLO FRÜHLING! 10

Prächtige Papierkrone 12
Konfettikanone 14
Bunte Tiermasken 16
Konfetti-Lichter 18
Kleines Puppentheater 20
Kresse-Garten 22
Hasenohren aus Papier 24
Osterkörbchen 26
Lustige Bienen-Eier 28
Regenwolken-Mobile 30
Herzen zum Muttertag 32
Bunte Papierblumen 34

SOMMER, SONNE, SONNENSCHEIN! 36

Bunte Papierkäfer 39
Krepp-Schleuderball 41
Malen mit Straßenkreide 43
Lustige Laufbecher 45
Kroko-Sonnenvisier 47
Buntes Steindomino 49
Klorollen-Fernglas 51
Kleine Meerjungfrau 53
Baumhaus aus Eisstielen 55
Fisch-Fangbecher 59
Schnapp-Hai 61
Korkschiffchen 63

DER HERBST IST DA! 64

Bunte Schnecken 66
Handtrommel zum Wirbeln 68
Herbstliches Gottesauge 70
Lesezeichen aus dem Wald 72
Kugellabyrinth 74
Buntes Papiergemüse 76
Herbstbilder aus Bohnen & Linsen 78
Gespenster-Marionette 80
Tüte mit Moosgummi-Stempeln 82
Sockenmonster 84
Pilze aus Pappmaché 86
Raketen-Laterne 89

WINTERZEIT 92

Winterliche Wichteltür 95
Adventskranz aus Klorollen 97
Sterne aus Eisstielen 99
Nussknacker aus Wäscheklammern 101
Geschenkpapier mit Kartoffeldruck 103
Tannenbäume aus Eierkartons 105
Gefärbte Wichtelkerze 107
Coole Schneemänner 109
Vogelfutter-Anhänger 111
Überraschungsbonbons 113
Hampelengelchen 115
Puste-Rakete 117

Vorlagen 119
Über die Autorin 127
Danksagung 127

VORWORT

Hallo, ich bin Lisa und ich freue mich sehr, dass das Bi-Ba-Bastelbuch den Weg zu dir gefunden hat! Uns steht ein ganzes Jahr voller kreativer Projekte und lustiger Spiele bevor!

Ich habe mir für dich ganz viele Ideen überlegt, die du alleine oder zusammen mit deinen Eltern umsetzen kannst. Es gibt Projekte zum Spielen, als Schmuck für dein Kinderzimmer, als Geschenkidee oder als praktische Helfer im Alltag. Natürlich sind auch jede Menge Ideen für die Feiertage wie Ostern und Weihnachten dabei. Ich habe darauf geachtet, verschiedenes Material zu verwenden, meistens aber Dinge, die du zu Hause findest. So musst du nicht für jedes Projekt neue Sachen kaufen und schonst obendrein die Umwelt!

Welche Grundausstattung du benötigst, zeige ich dir im ersten Kapitel. Und jetzt ran an Schere, Kleister, Papier und Co.!

Ich wünsche dir ein kreatives Jahr und ganz viel Spaß beim Basteln!

DER AUFBAU DIESES BUCHS

Das Bi-Ba-Bastelbuch ist gegliedert in die vier Jahreszeiten. Du findest Ideen für den Frühling, Sommer, Herbst und Winter.

Damit du sofort weißt, wie schwierig die Projekte sind, habe ich sie in Schwierigkeitsgrade von 1–5 unterteilt. Das sieht im Buch folgendermaßen aus:

= leichte Projekte

= schwere Projekt

Neben den Schwierigkeitsgraden haben die Projekte auch Icons, die dir weitere Infos liefern. Hier erkläre ich dir ihre Bedeutung:

Mit Vorlage: Diese Projekte haben eine Vorlage. Du findest alle Vorlagen ganz am Ende des Buches.

Familien-Projekte: Bei diesen Projekten solltest du deine Eltern um Hilfe bitten. Das Icon kommt vor, wenn z. B. ein Cutter verwendet wird, etwas genäht werden muss oder man einfach mehr als zwei Hände benötigt.

No Mess: „No Mess" ist Englisch und bedeutet „keine Sauerei". Die Projekte haben dieses Icon, wenn keine Materialien wie Kleber, Farbe etc. zum Einsatz kommen – also immer dann, wenn dein Arbeitsplatz beim Basteln sauber bleibt.

Wartezeit – diese Projekte dauern etwas länger, weil sie eine Trockenzeit haben. Manche Projekte musst du sogar über Nacht trocknen lassen.

Alles da: Für dieses Projekt brauchst du kein spezielles Material. Du hast höchstwahrscheinlich alles dafür in deiner Bastelkiste oder findest es im Haushalt oder der Natur.

DEIN BASTEL-SAMMELSURIUM

**Wer basteln möchte, braucht natürlich Material.
Damit du nicht für jedes Projekt alles zusammensuchen musst, erkläre ich dir hier, wie du dir eine Bastelkiste anlegst und was alles drin sein sollte.**

WARUM EINE BASTELKISTE?

Vielleicht hast du ja schon einen Bastelschrank oder einen Schreibtisch, in dem du dein Bastelmaterial aufbewahrst. Meistens ist einfach alles an einem Ort und wenn man etwas braucht, muss erst mal die ganze Schublade durchwühlt werden. Das braucht Zeit und trübt die Stimmung, denn eigentlich möchtest du ja basteln, nicht suchen. Lege dir deshalb eine gut strukturierte Bastelkiste an, in der du alles sofort finden kannst. Je nachdem, wie viel Material du hast, kannst du auch mehrere Kisten anlegen, die schon nach Thema sortiert sind – beispielsweise eine Kiste für Knete und Formen und eine Kiste für Basteln mit Papier. Der Vorteil an einer Bastelkiste ist nicht nur, dass du alles auf Anhieb findest, sondern auch, dass du sie einfach herumtragen kannst, wenn du z. B. mal im Garten basteln möchtest. Und deine Eltern freuen sich bestimmt auch, wenn dein Bastelmaterial ordentlich verstaut ist!

Tipp: Als Bastelkiste eignen sich z. B. Schuhkartons oder Versandkisten. Beklebe sie mit buntem Papier oder male sie an, damit sie schön aussehen!

WIE STELLE ICH MEINE BASTELKISTE ZUSAMMEN?

Natürlich ist jede Bastelkiste sehr individuell – je nachdem, was du am liebsten bastelst und welche Materialen du verwendest. Lege dein Bastelmaterial einmal vor dich und überlege, welche Ordnung Sinn macht. Bestimmt hilft dir auch deine Mama oder dein Papa dabei. Packe Kleinkram wie Klammern, Knöpfe, Pompons etc. in kleine Gläser. Wenn du schon schreiben kannst, beschrifte die Deckel, damit du gleich siehst, was drin ist. Wenn du noch nicht schreiben kannst, male einfach ein Bild vom Inhalt. Dinge, die oft gebraucht werden (z. B. Schere und Kleber) müssen immer griffbereit sein. Sie können auch eine Dose oder eine kleinere Kiste bekommen. Blättere einmal um – und ich nenne dir Materialien und Werkzeuge, die für die Projekte in diesem Buch auf jeden Fall in deine Bastelkiste gehören.

Diese Materialien sollten auf jeden Fall in deiner Bastelkiste sein:

- Bastelschere
- Kleber
- Prickelnadel
- Bastelkleber
- Klebestift
- Lineal oder Geodreieck
- Draht
- Tonkarton
- buntes Papier
- Bleistift
- Versandklammern
- Wollreste

Diese Materialien machen viel Spaß, sind aber nicht zwingend notwendig

- Washi-Tape
- Klebepunkte
- Pompoms
- Federn
- Glubschaugen
- gemustertes Papier

GESAMMELTE MATERIALIEN

Du musst nicht ständig neues Bastelmaterial anschaffen, um kreativ zu sein. Im Haushalt gibt es viele Dinge, die du zum Basteln verwenden kannst. Wenn du Materialien wiederverwendest, ist das nicht nur günstig, sondern es schont auch die Umwelt. Bitte deine Eltern, Klorollen, Korken und Co. nicht wegzuwerfen, sondern sammle sie in einer Bastelkiste. Auch bei einem Spaziergang im Wald oder im Garten gibt es viele Dinge, die du zum Basteln verwenden kannst. Sammle Steine, Stöcke, Blätter, Rinde etc. ebenfalls in einer Bastelkiste. Achte aber darauf, dass du nicht zu viel sammelst, damit du nicht den Überblick verlierst.

Diese Materialien kannst du im Haushalt und der Natur sammeln und in einer Bastelkiste aufbewahren:

- Klorollen
- Eisstäbchen
- Packpapier
- Steine
- Stöcke
- Versandkartons
- Zapfen

VORLAGEN ÜBERTRAGEN

In diesem Buch gibt es viele Vorlagen, damit du die Bastelprojekte möglichst einfach umsetzen kannst. Hier erkläre ich dir, wie du beim Übertragen von Vorlagen vorgehst.

VORLAGEN AUF FESTES UND HELLES MATERIAL ÜBERTRAGEN

Das Übertragen von Vorlagen auf feste und glatte Materialien wie Holz oder Papier ist einfach. Drucke dir die Vorlage auf ganz normales Druckerpapier (80 g) aus. Verwende einen weichen Bleistift und male die ganze Fläche auf der Rückseite deiner Vorlage damit an. Drehe die Vorlage um, platziere die Vorlage auf deinem Material und klebe sie mit einem Stück Klebeband fest, damit sie nicht verrutscht. Zeichne nun die Linien mit einem spitzen Bleistift oder einem Kugelschreiber nach. So wird der Bleistift von der Unterseite auf dein Material übertragen und du kannst den Umriss wunderbar sehen.

VORLAGEN AUF FLEXIBLES ODER DUNKLES MATERIAL ÜBERTRAGEN

Bei flexiblen bzw. weicheren Materialien wie Moosgummi, Filz oder dickem Pappkarton funktioniert die oben genannte Technik leider nicht. Auch wenn du ein sehr dunkles Material verwendest, kann die Übertragung wie links beschrieben schwierig werden. In diesen Fällen kannst du den klassischen Weg wählen. Drucke dir die Vorlage unter

www.emf-verlag.de/produkt/das-bi-ba-bastelbuch-durchs-jahr-52-kinderleichte-verbastel-projekte-fuer-fruehling-sommer-herbst-und-winter/

aus, schneide sie mit der Bastelschere aus und fahre die Linien nach. Ich verwende bei flexiblen Materialien am liebsten einen Filzstift. Bei dunklem Papier eignet sich ein Kugelschreiber. Mit dem Kugelschreiber entstehen eingedrückte Linien im Papier, die man auch sieht, wenn das Papier sehr dunkel ist.

HALLO FRÜHLING!

Der Winter neigt sich dem Ende und die ersten Blümchen zeigen bereits ihre bunten Blüten. Um den Winter ganz zu vertreiben, feiern wir Fasching – mit Konfetti und selbst gemachten Masken. Wir basteln Hasenohren, gestalten Ostereier und natürlich auch ein Geschenk für den Muttertag.

In diesem Kapitel findest du viele bunte Projekte für den Frühling. Und auch wenn der April viel Regen bietet, lassen wir uns die Laune nicht verderben – denn Regenwetter ist Bastelwetter!

PRÄCHTIGE PAPIERKRONE

Feier den Dreikönigstag, indem du dir selbst eine coole Papierkrone bastelst! Nach den „Heiligen Drei Königen“ kannst du sie in deine Verkleidungskiste legen, sie für dein Faschingskostüm verwenden oder sie als Geburtstagskrone aufziehen.

MATERIAL

festes Papier (160–220 g) × Vorlage × Schere × Kleber × Hefter × Pompoms zum Verzieren

SO GEHT ES

1 Übertrage die Vorlage von Seite 119 zwei Mal auf dein Papier und schneide sie aus. Wenn du einen großen Tonkarton verwendest, kannst du die Krone in einem Stück ausschneiden. (Dann brauchst du nur eine Lasche zu übertragen.) Wenn du A4-Papier verwendest, schneide die Schablone zwei Mal mit Lasche aus und hefte die beiden Teile zusammen.

2 Klebe nun bunte Pompoms mit Bastelkleber auf die Spitzen der Krone und lasse ihn trocknen. Falls du die Krone bemalen möchtest oder Glitzer aufkleben willst, kannst du deiner Kreativität hier freien Lauf lassen!

3 Hefte die Krone zum Schluss an der Lasche zusammen.

TIPP

Verstecke im Essen eine Rosine, z.B. im Grießbrei oder in einem Kuchen und teile ihn mit deinen Freunden oder Geschwistern. Wer die Rosine in seiner Portion findet, darf einen Tag lang König sein.

KONFETTI-KANONE

Kein Fasching ohne buntes Konfetti! Mit einer Konfettikanone kannst du die bunten Papierschnipsel richtig gut in die Luft schießen. Da kommt Partystimmung auf!

MATERIAL

Klorolle × Luftballon × Hefter × Schere (optional) × Klebestift (optional) × zum Verzieren: z. B. buntes Papier, Krepp-Papier, Masking Tape, Pompoms …

SO GEHT ES

1 Schneide den Luftballon in der Mitte durch und spanne das untere Ende über deine Klorolle. Befestige den Luftballon nun mithilfe eines Hefters. Frage deine Eltern, ob sie dir dabei helfen.

2 Zum Verzieren kannst du deine Konfettikanone mit buntem Papier und Pompoms bekleben. Oder du schneidest Fransen aus Krepp-Papier und klebst sie auf. Gestalte deine Konfettikanone einfach so, wie sie dir am besten gefällt!

1

2

TIPP

Falls deine Eltern nicht möchten, dass du im Haus Konfetti verstreust, kannst du auch Pompoms oder Papierkügelchen mit der Konfettikanone schießen.

BUNTE TIERMASKEN

Zu Fasching darf die Verkleidung nicht fehlen und das geht am besten, mit selbst gemachten Masken. Ob du ein Partylöwe oder ein bunter Vogel sein möchtest, entscheidest du – oder vielleicht hast du ja auch eine ganz andere Idee, wie du deine Maske gestalten möchtest?

MATERIAL

Tonkarton × Vorlagen × buntes Papier, Stifte oder Klebepunkte zum Verzieren × Klebestift × Krepp-Band (für die Löwenmähne) × Schnur oder Gummi

SO GEHT ES

1 Übertrage die Vorlagen von Seite 119 und 120 auf Tonkarton und schneide die einzelnen Teile aus. Die Schneidelinien sind auf der Vorlage schwarz. Schneide für den Löwen zusätzlich Kreise als Ohren und für den Vogel Zacken, die du als Federn aufkleben kannst. Falte die Nase oder den Schnabel an den Faltlinien – diese sind auf der Vorlage rot gekennzeichnet. Klebe sie mit der Klebefläche auf deine Maske. Die Nasenspitze des Löwen kannst du schwarz anmalen.

2 Klebe nun alle anderen Teile wie z. B. Ohren oder Federn auf und gestalte dein Tier, wie es dir gefällt. Verwende Krepp-Band für die Löwenmähne. Klebe sie von hinten an der Maske fest und falte das Krepp-Band immer wieder, damit es schön wild und wuschelig aussieht.

3 Steche dann mit einer spitzen Schere oder einer Nadel ein Loch in die Seiten und binde eine Schnur oder ein Gummi fest.

1

2

TIPP

Noch eine Idee zum Verkleiden gibt es auf Seite 24.

KONFETTI-LICHTER

Als Deko für Fasching oder einfach nur als buntes Lichtlein für zu Hause: Aus einem alten Glas und etwas Konfetti kannst du super schnell einen richtigen Hingucker basteln. Und falls du keine Kerze hineintun möchtest: Die Gläser geben auch einen tollen Stiftehalter ab!

MATERIAL

alte Gläser x Konfetti x Kleister x Pinsel

SO GEHT ES

1 Rühre den Kleister nach der Packungsanleitung an. Für dieses Projekt brauchst du nicht viel. Streiche dann das Glas mit Hilfe eines Pinsels mit Kleister ein und klebe das Konfetti auf. Achte darauf, dass die einzelnen Konfetti nicht knicken.

2 Zum Schluss kannst du noch einmal mit Kleister über alles drüberstreichen, damit es gut hält.

1

TIPP

Du hast kein Konfetti? Dann verwende einen Locher oder schneide dir bunte Papierschnipsel aus Seiden- oder Transparentpapier zurecht!

KLEINES PUPPENTHEATER

Vorhang auf – hier kommen lustige Löffelpuppen, mit denen du dein eigenes Theater veranstalten kannst!

MATERIAL

Holzlöffel (Picknicklöffel) × Wolle × Kleber × Schere × Filzstifte × Papier

SO GEHT ES

1 Wickle die Wolle mehrmals um deine Hand. Schneide den Wollring an einer Seite auf – nun hast du viele gleich lange Stränge. Nimm einen Strang heraus und binde damit die restliche Wolle zu einem Dutt zusammen.

2 Male mit Filzstift ein Gesicht auf deinen Löffel und klebe die Haare mit Bastelkleber an. Die überstehende Wolle kannst du nach hinten klappen und auf der Rückseite des Löffels festkleben.

3 Schneide aus Papier ein Kleidchen und Ärmel für deine Puppe aus und klebe sie auf den Stiel des Holzlöffels.

TIPP

Wenn du möchtest, kannst du auch kleine Accessoires wie z. B. eine Brille oder eine Tasche für deine Püppchen basteln!

KRESSE-GARTEN

Kresse ist super einfach zu ziehen und sieht auch auf der Fensterbank schön aus – besonders wenn sie in einem hübschen Mini-Garten wachsen kann! Aus ein paar Eisstielen und einem Tetra-Pack kannst du dein eigenes Gärtchen basteln und Kresse ziehen.

MATERIAL

Tetrapack x Cutter oder Schere x grüne Acrylfarbe x Pinsel x 20 Eisstäbe x Gartenschere x Bastelkleber x Küchenpapier x Kressesamen

SO GEHT ES

1 Schneide den unteren Teil deines Tetrapacks ca. 4 cm hoch ab. Am einfachsten mit einem Cutter, aber frage deine Eltern, ob sie dir helfen (sonst mit der Schere). Male dann das Unterteil von außen mit grüner Acrylfarbe an.

2 Während die Farbe trocknet, schneide die Eisstiele mit einer Gartenschere in der Mitte durch – insgesamt brauchst du 32 Hälften. Schneide bei vier Eisstielen auch die runden Enden ab. Sie sollten genauso lang sein wie dein Tetrapack.

3 Klebe nun zuerst einen der langen Eisstiele längs auf die Mitte deines Tetrapacks. Jetzt kannst du die halben Eisstiele quer auf den langen Stiel kleben, sodass es aussieht wie ein Zaun. Pro Seite brauchst du acht Stück. Lasse jede Seite trocknen, bevor du mit einer neuen Seite beginnst.

4 Lege ein paar Lagen Küchenpapier hinein und streue deine Kressesamen drauf. In ein paar Tagen ist dein Kresse-Garten gewachsen und du kannst schon ernten!

1

2

3

4

TIPP

Das Küchenpapier muss immer feucht sein, damit die Samen keimen können. Schaue also am besten zweimal täglich nach.

HASENOHREN AUS PAPIER

Mein Name ist Hase ... Warum nicht einfach mal selber Osterhase sein? Hasenohren aus Papier kannst du ganz einfach selber machen und dich so als Osterhase verkleiden. So vergeht die Zeit bis zur Eiersuche im Nu!

MATERIAL

Packpapier × Vorlage × Papier in Weiß oder Rosa × Klebestift × Hefter (optional)

SO GEHT ES

1 Übertrage die Vorlage von Seite 120 für die großen Hasenohren 2 x auf Packpapier und die Vorlagen für die kleinen Ohren (der Innenteil) 2 x auf weißes oder rosafarbenes Papier. Schneide sie aus und klebe sie aufeinander. Schneide aus Packpapier einen ca. 4 cm breiten Streifen. Der Streifen sollte ca. 50–60 cm lang sein, je nach Kopfumfang.

2 Klebe die Hasenohren in die Mitte deines Packpapier-Streifens und lasse sie trocknen. Lege sie dann um deinen Kopf und hefte die Enden so zusammen, dass dir die Ohren passen. Wenn Packpapier übersteht, kannst du es einfach abschneiden.

1

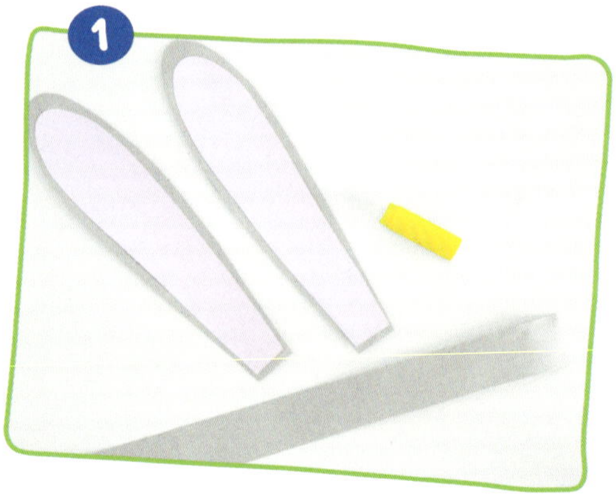

2

OSTER-KÖRBCHEN

In ein selbst gebasteltes Osterkörbchen legt der Osterhase bestimmt gerne bunte Eier und Schokolade. du kannst dafür entweder gemustertes Papier verwenden oder vorher ein weißes Papier selbst anmalen. Gestalte dein Osterkörbchen so, wie es dir am besten gefällt!

MATERIAL

2 Blatt Papier in DIN A4 (hier 160 g) × Schere × Hefter oder Klebestift

SO GEHT ES

1 Falte dein Papier schräg zur Kante hin und schneide den unteren Teil ab. Jetzt hast du ein Quadrat.

2 Falte dein Papier nun auch schräg zur anderen Ecke hin, sodass in der Mitte deines Quadrates ein Kreuz entsteht. Jetzt kannst du das Quadrat mit dem Kreuz vor dich legen.

3 Drehe dein Papier um und falte die obere und untere Kante zur Mitte hin. Die Mitte ist dort, wo sich die beiden Faltlinien kreuzen. Falte sie wieder auf und wiederhole den Schritt mit der rechten und linken Seite.

4 Die Ecken lassen sich nun ganz einfach nach innen falten. Klebe sie mit einem Klebestift fest oder verwende einen Hefter. Schneide aus einem anderen DIN-A4-Papier längs einen ca 3–4 cm breiten Streifen und klebe ihn als Henkel innen am Körbchen fest.

TIPP

Ohne Henkel eigen sich die Körbchen auch super als Ordnungshelfer auf dem Schreibtisch.

LUSTIGE BIENEN-EIER

Es summt und brummt und der Frühling steht schon in den Startlöchern. Als Osterdeko müssen es nicht immer Hasen und Hühner sein – wie wäre es dieses Jahr mal mit fleißigen Bienchen am Osterstrauch?

MATERIAL

ausgeblasene Eier × gelbe Eierfarbe × dünnes Washi-Tape × schwarze Acrylfarbe × Pinsel × schwarzer Filzstift × Zahnstocher × etwas gelbe Knete × Ahle × Transparentpapier × Bastelkleber × Draht × Faden ×

SO GEHT ES

1 Färbe zunächst deine Eier – am schönsten wird es mit Eierfarbe. Aber du kannst auch Wasserfarbe verwenden und sie gelb anmalen. Für die Streifen klebst du Washi-Tape um die Eier und malst die freien Flächen schwarz an.

2 Wenn die Farbe getrocknet ist, entferne das Washi-Tape. Ungerade Stellen kannst du mit dem Filzstift ausbessern. Zeichne ebenfalls mit Filzstift das Gesicht auf. Stecke den Zahnstocher durch die Löcher im Ei und fixiere ihn mit einem Stück Knete im Gesicht der Biene. Das sieht jetzt aus wie eine Nase. Das Ende des Zahnstochers, also den Stachel der Biene, kannst du ebenfalls schwarz anmalen.

3 Schneide aus Transparentpapier Flügel zurecht und klebe sie auf den Rücken der Biene. Steche mit einer Ahle (eine Sticknadel oder Prickelnadel geht auch) vorsichtig ein Loch zwischen die Flügel. Binde ein Stück Draht an einen Faden und stecke ihn durch das Loch. Jetzt kannst du die Bienchen aufhängen.

REGENWOLKEN-MOBILE

April-April, der Monat Vier macht, was er will! Wenn es draußen regnet, mach es dir doch einfach zu Hause gemütlich und bastle ein fröhliches Regenwolken-Mobile. Die bunten Tropfen machen gute Laune und geben eine tolle Deko für dein Kinderzimmer ab! Und denke daran: Regen ist toll, denn er lässt die Blumen wachsen!

MATERIAL

weißer Karton oder festes Papier (min. 160 g) × bunte Papierreste × Schere × Kleber × Prickelnadel (oder Sticknadel) × Zwirn × Watte

SO GEHT ES

1 Zeichne grob eine Wolke auf weißen Karton und schneide sie aus. Keine Sorge, falls sie etwas schief wird – wir kleben später Watte drüber. Schneide aus bunten Papierresten Regentropfen aus. Hierfür kannst du die Vorlage auf Seite 120 verwenden.

2 Steche mit der Prickelnadel Löcher in den unteren Rand deiner Wolke. Falls du keine Prickelnadel hast, kannst du auch eine Sticknadel verwenden. Fädle in jedes Loch einen 40–50 cm langen Zwirn und klebe an jedes Ende einen Regentropfen an. Steche auch ganz oben ein Loch in deine Wolke, damit du sie später aufhängen kannst.

3 Klebe nun Watte auf deine Kartonwolke und ziehe sie so zurecht, bis sie den gesamten Karton bedeckt. Befestige oben eine Schnur und hänge deine Regenwolke auf.

TIPP
Dieses Projekt eignet sich super, um Papierreste aufzubrauchen.

HERZEN ZUM MUTTERTAG

Ob zum Vatertag, zum Muttertag oder einfach mal so. Eltern und Großeltern freuen sich immer, wenn du ihnen zeigst, wie lieb du sie hast. Bastel ihnen doch ein Herz aus Chenilledraht und fädle Perlen auf. Über so eine kleine Aufmerksamkeit freuen sie sich ganz bestimmt!

MATERIAL

Chenilledraht (Pfeifenputzer) x verschiedene Perlen

SO GEHT ES

1 Knicke deinen Chenilledraht und forme schon einmal grob die beiden „Ohren" des Herzes. Fädle dann ein paar Perlen auf. Es sollten nicht zu viele Perlen werden, denn sonst kannst du den Draht nicht mehr gut formen.

2 Drehe dann die Enden zusammen, sodass ein Herz entsteht. Wenn du einen Stiel übrig lässt, kann das Herz später aufgestellt werden. Du kannst es aber natürlich auch ohne Stiel als Anhänger verschenken.

1

2

MAMA

BUNTE PAPIERBLUMEN

Mit Papierblumen kannst du den Frühling auch bei dir zu Hause einziehen lassen – und das Beste: Du musst sie nicht gießen und sie halten ewig. Du kannst sie (wie hier) im Topf arrangieren oder in eine Vase stellen, ganz wie du möchtest.

MATERIAL

bunte Krepp-Bänder × Schere × Draht × Mini-Pompoms × Bastelkleber

SO GEHT ES

1 Schneide deine Krepp-Bänder ganz oft mit der Bastelschere bis zur Mitte ein. Am schnellsten geht das, wenn du dein Krepp-Band ein paarmal faltest und mehrere Schichten gleichzeitig einschneidest. Du brauchst pro Blume ca. 20–30 cm Krepp-Band.

2 Wickle dein eingeschnittenes Krepp-Band ein und binde ein Stück Draht herum. So hält deine Blume zusammen und bekommt gleichzeitig einen Stiel.

3 Biege die Blütenblätter auseinander und klebe einen Pompom in die Mitte.

4 Schneide aus grünem Krepp-Papier Blätter aus und klebe sie am Draht fest. Nach dem Trocknen kannst du deine Blumen im Topf oder in der Vase arrangieren.

TIPP
So ein bunter Blumenstrauß ist auch eine tolle Idee zum Muttertag!

SOMMER, SONNE, SONNENSCHEIN!

Endlich ist er da, der Sommer! Auch wenn wir zu dieser Jahreszeit viel unternehmen, gibt es tolle Bastelprojekte, die du im Sommer umsetzen kannst. In diesem Kapitel findest du einige Ideen für draußen, aber auch Spiel-Ideen und sommerliche Deko für dein Kinderzimmer. Wie wäre es z. B. mit Korkschiffchen, selbst gemachter Straßenkreide oder einer Meerjungfrau zum Aufhängen?

TIPP

Wenn du mit Draht arbeitest, verwende Aludraht – der lässt sich ganz einfach von Hand verbiegen.

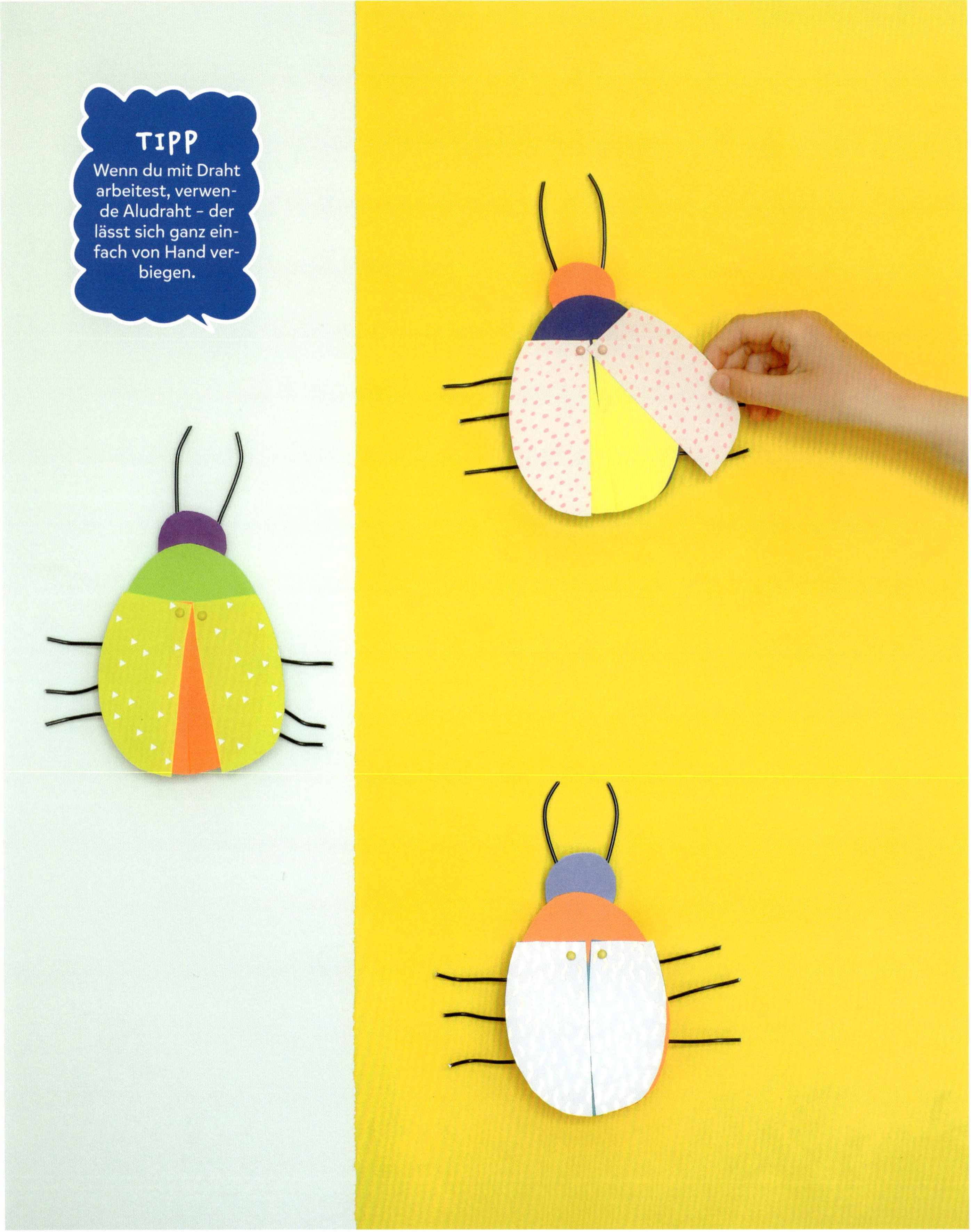

BUNTE PAPIERKÄFER

Was krabbelt denn da die Wand empor? Die bunten Papierkäfer bringen auf jeden Fall gute Laune ins Kinderzimmer und machen sich gut als Wandschmuck, kleines Geschenk oder auch als Geburtstagseinladung. Die Flügel sind nämlich beweglich und wenn du möchtest, kannst du eine kleine Botschaft darunter verstecken.

MATERIAL

buntes Papier oder Karton (150–200 g) x Schere x Prickelnadel (alternativ: spitze Schere) x Bastelkleber x Aluminiumdraht x Versandklammern (2 pro Käfer)

SO GEHT ES

1 Lege drei verschiedenfarbige Papiere übereinander und schneide einen länglichen Kreis aus. Jetzt sind alle drei Kreise genau gleich groß.

2 Einer dieser drei Kreise wird das Unterteil und bleibt ganz. Schneide bei den beiden anderen Kreisen ca. ⅓ oben ab – das werden die Flügel. Schneide aus einer anderen Farbe noch den Kopf zu. Jetzt hast du alle Papierteile, die du brauchst.

3 Klebe den Kopf unter den Körper deines Käfers. Lege dann die Flügel auf den Körper und steche mit einer Prickelnadel je ein Loch in die Flügel. Das Loch sollte an der Innenseite oben sein. Befestige die Flügel nun mit einer Versandklammer.

4 Schneide nun die Beine und Fühler zurecht. Die Käfer hier sind 8 cm breit, haben 6–7 cm große Fühler und 15 cm lange Beine, die an jeder Seite 3–4 cm überstehen. Klebe die Beine und Fühler mit Bastelkleber fest und lasse sie gut trocknen. Jetzt kannst du sie noch vorsichtig biegen oder die Enden kürzen.

TIPP

Statt Krepp-Papier kannst du für den Schwanz auch Streifen aus Stoff verwenden.

KREPP-SCHLEUDERBALL

Schleuderbälle habe ich schon als Kind gebastelt und hatte immer einen riesen Spaß damit. Es ist toll, den Ball wild durch die Luft zu schleudern, und der Schwanz aus Krepp-Papier macht ein wunderbares Geräusch! Einfach perfekt, um draußen ordentlich zu toben!

MATERIAL

Stoff (ca. 40 x 40 cm) × Krepp-Papier oder Krepp-Bänder × Zeitung × Schnur oder Wolle

SO GEHT ES

1 Mache aus zwei Doppelseiten einer Zeitung einen Ball und lege ihn in die Mitte deines Stoffs.

2 Schneide nun aus Krepp-Papier 50–60 cm lange Streifen zurecht. Nimm den Stoff zusammen, stecke die Krepp-Papier-Streifen zu dem Zeitungsball und binde den Stoff mit einem Stück Wolle fest zusammen. Achte darauf, dass die Streifen gut festgebunden sind. Lasse die Enden des Wollstücks ca. 20–30 cm lang und binde sie als Halterung zusammen.

1

2

TIPP
Du kannst deine Kreide auch zwei- oder mehrfarbig machen.

MALEN MIT STRASSENKREIDE

Im Sommer macht draußen alles mehr Spaß als drinnen – auch das Malen. Mit der selbst gemachten Straßenkreide kannst du vor deiner Haustüre kreativ werden!

MATERIAL

Papprolle von Geschenkpapier x Schere oder Cutter x Klebeband x Backpapier x Modellgips x Wasser x verschiedene Schälchen x Schaschlikspieß x Lebensmittelfarbe x Löffel und ggf. Trichter zum Einfüllen x Unterlage zum Trocknen

SO GEHT ES

1 Schneide deine Papprolle in 4 Stücke. Falls du keine leere Geschenkpapierrolle hast, kannst du auch eine Küchenpapierrolle verwenden und in 2 Teile zerschneiden. Klebe dann das untere Ende gut mit Klebeband ab und stecke in jede Rolle ein Stück Backpapier. Das Backpapier verhindert, dass die Gipsmasse später an der Rolle kleben bleibt.

2 Mische den Gips mithilfe deiner Eltern so an, wie es auf der Verpackung steht. Wir haben für 4 große Kreiden ca. 600 g Gips verwendet. Verteile deine Gipsmischung in Schälchen und gebe ein paar Tropfen Lebensmittelfarbe hinzu. Verrühre es gut mit einem Schaschlikspieß. Fülle dann die Gipsmasse in deine vorbereiteten Papprollen. Du kannst einen Trichter verwenden oder einfach einen großen Löffel. Stelle die gefüllten Rollen in einen Behälter oder auf eine Unterlage, falls sie auslaufen, und lasse sie über Nacht trocknen. Jetzt kannst du die fertige Kreide aus der Rolle herausnehmen und losmalen.

1

2

LUSTIGE LAUFBECHER

Das Laufen auf Stelzen und Laufbechern ist nicht ganz einfach, macht dafür aber riesig Spaß. Mit deinen selbst gebastelten Laufbechern kannst du eine Zirkusnummer vorführen, einen Parkour laufen oder einfach nur die Welt aus einer anderen Perspektive sehen.

MATERIAL

2 große Konservendosen × Hammer und großer Nagel × Sprühlack oder Farbe × Acrylmarker × dicke Schnur (je nach Körpergröße 1 m–1,50 m pro Laufbecher)

SO GEHT ES

1 Schlage mit einem Hammer einen großen Nagel in die oberen Seiten deiner Konservendose. Frage deine Eltern, ob sie dir dabei helfen. Den Nagel kannst du direkt wieder herausziehen – die Löcher brauchst du später, um deine Schnur zu befestigen.

2 Jetzt kannst du deine Konservendosen gestalten. Am einfachsten ist es, wenn du sie mit Sprühlack besprühst, du kannst aber auch Pinsel und Farbe verwenden. Wenn die Grundfarbe getrocknet ist, kannst du deine Konservendosen noch mit Acrylmarkern bemalen.

3 Fädle zum Schluss deine Schnur durch die Löcher und mache einen dicken Knoten auf der Innenseite der Konservendose.

KROKO-SONNENVISIER

Bei Sonnenschein draußen zu spielen macht besonders viel Spaß.
Mit einem lustigen Krokodil-Sonnenvisier kann die Sonne dich nicht blenden und du kannst deine Haut vor Sonnenbrand schützen. Außerdem siehst du damit richtig cool aus!

MATERIAL

Tonkarton in Grün und Weiß (hier 160 g, A4) × Schere × Klebestift × Hutgummi oder Schnur

SO GEHT ES

1 Schneide der Länge nach einen ca. 5 cm langen Streifen aus dem grünen Tonkarton. Drucke die Vorlage von S. 122 aus, übertrage sie auf den Rest des Tonkartons und schneide sie aus. Die Form des Visiers kannst du auf einen weißen Tonkarton zeichnen und die spitzen Zacken ausschneiden. Schneide deinen Streifen immer wieder 2 cm tief ein. Der Abstand der Schnitte sollte 0,5–1 cm groß sein.

2 Klebe die Zähne an die Unterseite deines Sonnenvisiers. Falte die eingeschnittenen Teile deines Papierstreifens und klebe diese ebenfalls an dein Sonnenvisier. Dadurch biegt es sich automatisch in die richtige Form. Wenn alles fest geklebt ist, kannst du überstehende Zähne und auch die Einschnitte an den Seiten einfach abschneiden.

3 Steche zum Schluss mit einer spitzen Schere ein Loch in die linke und in die rechte Seite und ziehe ein Hutgummi oder eine Schnur hindurch. Die Augen kannst du entweder mit Klebepunkten aufkleben oder einfach aufmalen.

1

2

BUNTES STEINDOMINO

Sammelst du auch so gerne schöne Steine? Wie wäre es, aus ihnen ein cooles Spiel zu basteln? Das Stein-Domino geht ganz leicht und macht viel Spaß!

MATERIAL

Steine × Washi-Tape × Acrylfarbe × Pinsel

SO GEHT ES

1 Klebe eine Seite deiner Steine mit Washi-Tape ab und bemale die andere Seite mit Acrylfarbe. Lasse die erste Schicht trocknen und male noch einmal drüber, bis die Farbe deckt. Dann kannst du das Tape abziehen.

2 Wenn die erste Farbe vollständig getocknet ist, kannst du die zweite Farbe auftragen. Klebe dafür den Stein wieder mit Washi-Tape ab und male den freien Teil mit Acrylfarbe an.

1

2

Wie funktioniert das Spiel?

Stecke alle Dominosteine in einen Sack oder lege ein Tuch drüber. Der Spieler, der dran ist, muss einen Stein ziehen und darf ihn nur dann anlegen, wenn er passt. Ein rotes Ende muss an ein rotes Ende gelegt werden usw. Passt der Stein nicht, behält ihn der Spieler und kann ihn später ablegen. Wer als Erster keine Steine mehr hat, ist der Gewinner.

KLOROLLEN-FERNGLAS

Land in Sicht! Ob als Seemann auf dem Meer oder als Forscher im Dschungel, jeder Entdecker braucht ein Fernglas. Bastel dir einfach ein eigenes Spiel-Fernglas aus Klorollen und gestalte es ganz, wie du möchtest.

MATERIAL

2 Klorollen × buntes Papier oder Farbe zum Gestalten × spitze Schere × Schnur × Klebeband

SO GEHT ES

1 Male die Klorollen entweder an oder beklebe sie (wie hier) mit buntem Papier. Lege sie nebeneinander und klebe dein Klebeband ringsherum fest. So halten deine Klorollen gut zusammen. Steche mit einer spitzen Schere ein Loch links und eines rechts (frage deine Eltern, ob sie dir dabei helfen). Jetzt musst du nur noch die Schnur durch deine Löcher fädeln, im Inneren des Fernglases verknoten und schon ist dein Bastelprojekt fertig!

1

KLEINE MEERJUNGFRAU

Diese Meerjungfrau bleibt an Land und bringt sommerlichen Unterwasserzauber in dein Kinderzimmer!

MATERIAL

große Eierpappe × Schere × Acrylfarbe × Pinsel × Glitter × Garn und Nadel × Vorlage × Filzstift × Bastelkleber × Cutter × Klebeband

SO GEHT ES

1 Schneide aus einer großen Eierpappe die einzelnen Kammern aus und stutze sie so zurecht, dass alle ungefähr die gleiche Größe haben.

2 Male deine Pappteile mit Acrylfarbe in Blau und Grün an. Besonders schön sieht es aus, wenn du die Farben ein wenig vermischst. Streue auf die noch feuchte Farbe etwas Glitter und lasse sie trocknen.

3 Jetzt kannst du die Kartonteile mit einer Nadel und einem Faden auffädeln. Wir haben hier Stickgarn verwendet. Wenn die Teile etwas Abstand haben sollen, kannst du einen Knoten machen, bevor du das nächste Teil auffädelst.

AUF DER NÄCHSTEN SEITE GEHT ES WEITER →

SO GEHT ES WEITER

4 Schneide alle Teile der Vorlage aus und klebe sie mit einem Klebestift zusammen. Male das Gesicht der Meerjungfrau mit einem Filzstift auf.

5 Schneide mit dem Cutter einen Schlitz in die oberste „Fischschuppe" (frage deine Eltern, ob sie dir helfen) – der Schnitt sollte vor dem Faden liegen. Jetzt kannst du den Oberkörper der Meerjungfrau einfach hinein stecken. Klebe den Faden mit einem Stück Klebeband von hinten an den Oberkörper. Schneide für die Schwanzflosse die letzte „Fischschuppe" von unten ein. Hierfür kannst du einen Cutter oder eine Schere verwenden. Die Flosse kannst du jetzt ebenfalls einfach in den Schlitz stecken.

BAUMHAUS AUS EISSTIELEN

Ein Baumhaus für deine Spielfiguren: Sei selbst der Architekt und Zimmermann und baue deinen Spielfiguren ein Haus aus Eisstielen.

MATERIAL

120 Eisstiele × Säge × Lineal × Bastelkleber × Heißkleber × etwas Pappe

SO GEHT ES

1 Die meisten Eisstiele kannst du komplett verwenden. Für die Wände mit Türe und Fenster musst du deine Eisstiele zurechtsägen. Klebe hierfür vier Eisstiele mit Klebeband zusammen – so kannst du sie im Bündel zersägen. Säge für die Türe vier Eisstiele zu 4 cm zurecht. Für die Fenster musst du vier Eisstiele zweimal zersägen – sodass du insgesamt acht Eisstiele von je 4 cm hast. Den Mittelteil kannst du als Querlatten neben der Türe verwenden.

2 Klebe nun die Wände zusammen: Lege zwölf Eisstiele nebeneinander. Lege ein Lineal an die untere Kante und schiebe die Stiele etwas nach oben, damit sie auf der gleichen Höhe liegen. Klebe dann einen Eisstiel als Querleiste mit Bastelkleber fest. Für die Wände mit Fenster und Türe gehst du genau so vor, nur dass du deine zurecht gesägten Teile verwendest. Insgesamt brauchst du sechs Wandteile.

1

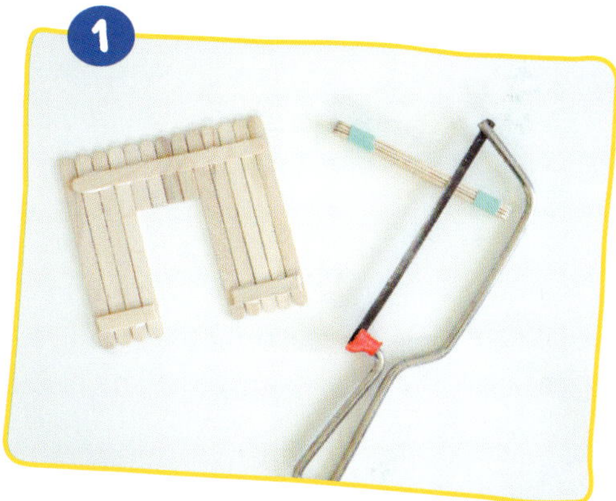

2

AUF DER NÄCHSTEN SEITE GEHT ES WEITER →

SO GEHT ES WEITER

3 Jetzt ist das Dach an der Reihe. Schneide dafür einen Karton zu einem 18 x 8 cm großen Rechteck und falte es in der Mitte. Klebe dann an jeder Seite 10 Eisstiele an. Verwende auch hier ein Lineal, damit die einzelnen Eisstiele in einer Linie liegen.

4 Klebe nun die getrockneten Wandteile mit Heißkleber zusammen. Das geht am einfachsten, wenn dir jemand hilft – so kann einer die Teile halten, während der andere sie zusammenklebt. Beginne mit den Seitenwänden und klebe sie im rechten Winkel zusammen. Trage den Heißkleber auf die Innenseiten der Wände auf, damit man ihn später nicht sieht. Klebe dann die Decke an und ganz zum Schluss den Boden – den Boden musst du von unten verkleben.

5 Klebe ebenfalls mit Heißkleber je einen Eisstiel als Stütze in die Ecken unter dem Haus. Klebe dann mit Bastelkleber je ein Kreuz zwischen zwei Stützen, damit sie stabiler werden. Wenn alles getrocknet ist, kannst du das Spielhaus in einen Blumentopf setzen.

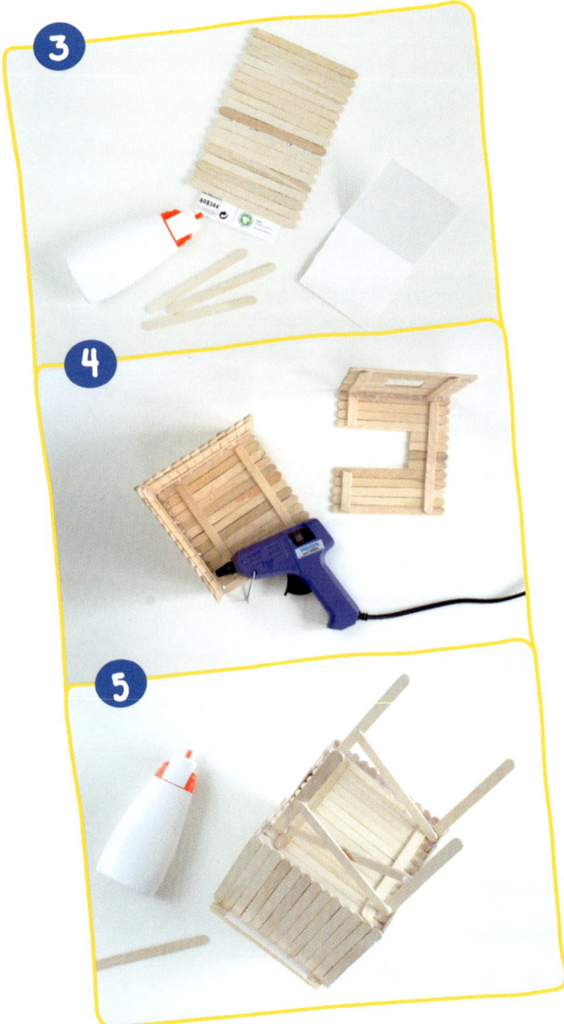

TIPP

Spielidee: Wie wäre es mit einem Wettfangen auf Zeit? Wer schafft es, in 3 Minuten die Kugel am öftesten zu fangen?

FISCH-FANGBECHER

Der Goldfisch hat seine Kugel verloren, hilfst du ihm, sie wiederzubekommen?
Aus einem alten To-Go-Becher kannst du super einen Fangbecher basteln.
Das ist ein tolles Geschicklichkeitsspiel für drinnen und draußen.

MATERIAL

Pappbecher x Klebepunkte x Washi-Tape x Prickelnadel x Holzperle x Schnur x Glubschaugen x Klebestift x Vorlage x orangenes Papier x Schere

SO GEHT ES

1 Klebe entlang des oberen Becherrandes ein farblich passendes Washi-Tape. Wenn du keines hast, kannst du deinen Becher auch anmalen. Beginne dann unten damit, den Becher mit Klebepunkten zu bekleben und zwar so, dass sie immer ein wenig übereinanderlappen. Hier wurden die Punkte immer nach dem Schema Orange-Rot-Pink aufgeklebt.

2 Steche dann mit einer Prickelnadel ein Loch in den oberen Rand deines Bechers und fädle deine Schnur durch. Die Schnur hier ist 40 cm lang. Knote am Ende noch eine Holzperle fest.

3 Damit aus dem Becher ein Fisch wird, fehlen noch Flossen und Augen. Übertrage die Vorlage von Seite 122 auf orangenes Papier, schneide die einzelnen Teile aus und klebe sie mit Bastelkleber fest. Klebe dann noch ein Glupschauge an jeder Seite an.

SCHNAPP-HAI

Unser Haifisch ist hungrig und schnappt nach allem, was ihm in den Weg kommt! Wenn du die beweglichen Arme hinten zusammendrückst, schießt sein Kopf vor und er schließt sein Maul. Was meinst du, wie viele Fische kann er wohl fangen?

MATERIAL

Pappkarton (z. B. Versandkarton) x blauer und weißer Tonkarton x Lineal x Cutter x Schere x Klebestift x 4 Heftklammern x Filzstift x Vorlage

SO GEHT ES

1 Schneide aus einem Pappkarton vier Streifen von je 22 x 2 cm zu. Das geht am einfachsten mit dem Cutter, wenn deine Eltern dir helfen. Lege die Kartonstreifen übereinander und bohre mit einer spitzen Schere in der Mitte und an einem Ende ein Loch.

2 Lege deine Kartonstreifen über Kreuz, wie auf dem Bild gezeigt. Verwende Versandklammern, um die Teile zu verbinden. Wenn du möchtest, kannst du beides noch blau anmalen. Mache das aber, bevor du die Teile zusammensetzt und lasse sie trocknen.

3 Schneide Kopf, Zähne und Flossen aus und klebe sie so zusammen: Die Zähne von hinten schräg ins Haifischmaul, damit sie später beim Auf- und Zumachen nicht im Weg sind. Außerdem sollten sie versetzt sein, damit sie gut ineinanderpassen, wenn das Maul zu ist. Nach Wunsch kannst du auch noch rosa Papier als Zahnfleisch dazwischenkleben.

4 Klebe das obere Kopfteil des Kopfes an den oberen Kartonstreifen und den Unterkiefer an den unteren Streifen. Male noch Augen, Nase und Kiemen auf und klebe die Seitenflosse an.

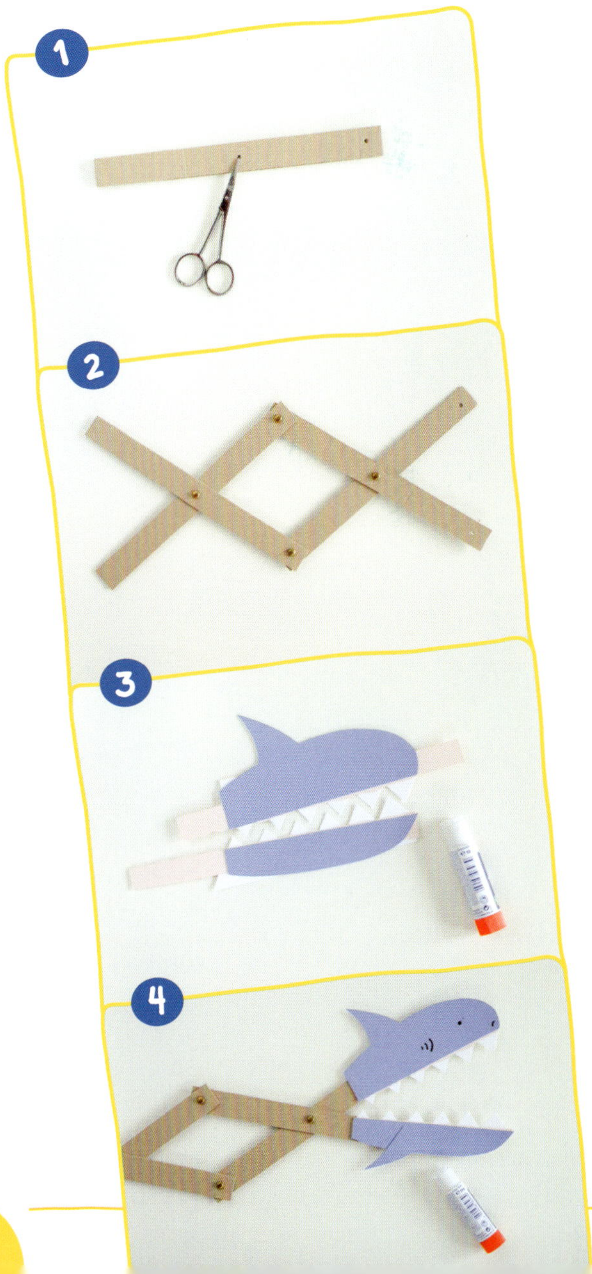

TIPP

Baue zwei oder mehrere Schiffchen und mache damit ein kleines Wettrennen in einem Bach.

KORK-SCHIFFCHEN

Alle Mann an Bord! Spiele mit Wasser sind im Sommer besonders schön. Baue dir ein kleines Korkschiffchen und lasse es in einer Schale oder in einem See schwimmen. Du kannst auch eine Schnur befestigen, damit es dir nicht davonschwimmt.

MATERIAL

3 Korken (möglichst gleich groß) × 2 kleine Haushaltsgummis × Zahnstocher × buntes Papier (z. B. Geschenkpapier) × Schere

SO GEHT ES

1 Lege die drei Korken nebeneinander und spanne links und rechts ein Haushaltsgummi herum. So halten die Korken ganz ohne Kleber. Schneide aus buntem Papier ein Segel aus und steche den Zahnstocher oben und unten durch. Stecke das fertige Segel in die Mitte deines Schiffchens. Und schon kann dein Boot ablegen!

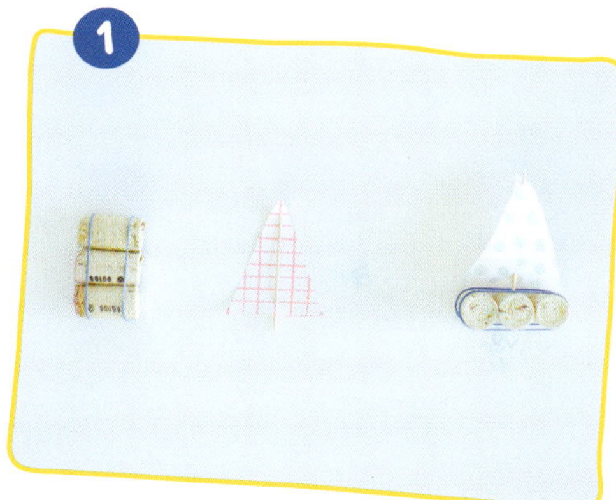

DER HERBST IST DA!

Die Blätter an den Bäumen färben sich und fallen langsam zu Boden. Wir genießen die letzten Sonnenstrahlen im Wald, basteln einen Fuchs und sammeln Naturmaterialien für unsere Projekte. In diesem Kapitel zeige ich dir herbstliche Bastelideen und wir bereiten uns auf Erntedank, Halloween und St. Martin vor.

BUNTE SCHNECKEN

Wer kriecht denn da um die Ecke?
Weil es im Herbst wieder öfter regnet und draußen nass ist, kannst du wunderbar verlassene Schneckenhäuser suchen gehen und neue Bewohner dafür basteln.

MATERIAL

leere Schneckenhäuser × Acrylfarbe × Pinsel × Knete × Draht × Glubschaugen × Bastelkleber

SO GEHT ES

1 Male deine Schneckenhäuser bunt an und lasse sie trocknen. Klebe je ein Glubschauge auf ein Stück Draht und forme dann aus Knete eine Wurst. Falls du keine Knete hast, kannst du auch Formmasse oder Salzteig verwenden. Stecke die Augen einfach in die Knete und setze das Haus drauf. Wenn du möchtest, kannst du die Knete trocknen lassen. Falls das Haus nicht von selbst hält, klebe es einfach mit Bastelkleber fest.

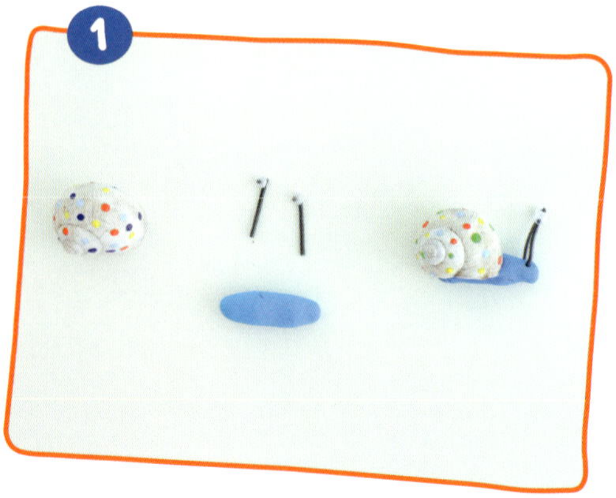

HANDTROMMEL ZUM WIRBELN

Musik ist toll – besonders, wenn man selbst scheppern, pfeifen und trommeln kann. Bastel dir eine Handdrum aus einer alten Käseschachtel. Wenn du den Stiel drehst, klackern die Perlen gegen die Trommelflächen und machen Musik!

MATERIAL

leere Käseschachtel x Stock (möglichst gerade) x Schere x Acrylfarben x Bastelkleber x Washi-Tape x Schnur oder Wolle (30–35 cm) x 2 Holzperlen x Papier (gemustert oder bemalt)

SO GEHT ES

1 Male den Rand der Käseschachtel mit Acrylfarbe an. Steche mit einer spitzen Schere ein Loch in die Schachtel und stecke deinen Stock hindurch. Befestige ihn auf der Innenseite mit Klebeband und klebe ihn unten zusätzlich mit Bastelkleber an der Käseschachtel fest. Steche nun links und rechts ein kleines Loch in die Käseschachtel, ziehe ein Stück Wolle oder Schnur durch und befestige je eine Holzperle am Ende.

2 Schneide aus gemustertem oder bemaltem Papier zwei Kreise aus und klebe sie auf deine Käseschachtel. Schließe die Schachtel und fixiere den Rand mit Washi-Tape. Schneide das Tape an der Stelle ein, an der die Schnur rausguckt, damit du sie nicht überklebst.

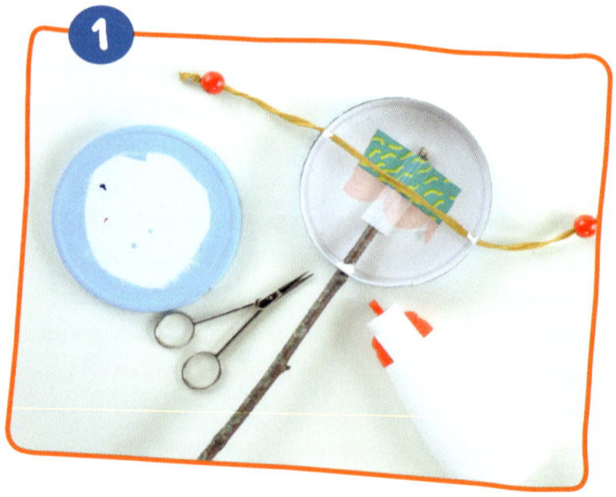

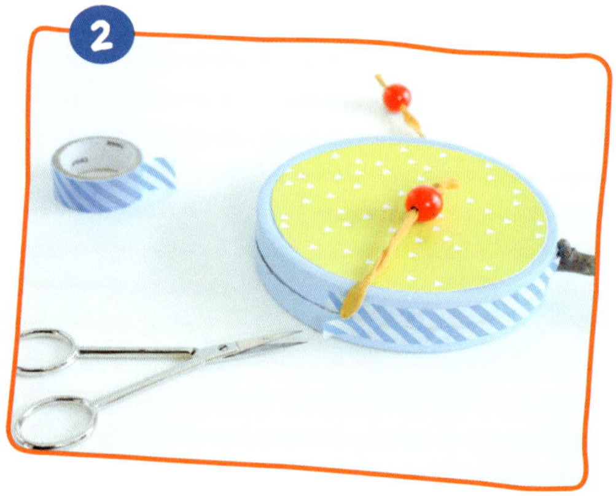

HERBSTLICHES GOTTESAUGE

Bei den Huicholen, das sind Ureinwohner aus dem heutigen Mexiko, gilt das Gottesauge als Glücksbringer und soll den Besitzer oder die Besitzerin vor Krankheit schützen. Aber auch als Wandschmuck für dein Kinderzimmer ist so ein Gottesauge bestens geeignet.

MATERIAL

2 Stöcke (gleich lang und möglichst gerade) x Wollreste

SO GEHT ES

1 Die Größe der Stöcke ist egal, für ein kleines Gottesauge reichen kleine Stöcke, für ein größeres brauchst du auch größere Stöcke. Sie sollten allerdings möglichst gleich lang und gerade sein, damit das Wickeln später gut klappt. Lege zwei Stöcke nebeneinander und binde sie mit Wolle fest. Drehe einen der Stöcke um 90° und fange an, die Wolle im Kreis zu wickeln und zwar immer so: Unter dem Stock durch, einmal drumherum, unter dem Stock durch, einmal drumherum ... Schiebe die Wolle immer mal wieder zusammen, damit das Gottesauge keine Lücken bekommt. Bald erkennst du schon die Rautenform auf der Rückseite.

2 Du kannst auch verschiedene Farben und Arten von Wolle kombinieren. Knote dafür einfach die Enden zusammen und wickle mit der neuen Wolle weiter. Den Knoten kannst du verstecken, indem du ihn durch die einzelnen Wollsträhnen steckst.

3 Wenn du fertig bist, mache einen Knoten. Nun kannst du das Ende noch mit dem Wollstück verknoten, das aus der Mitte herausguckt. So hast du auch gleich einen Aufhänger für dein Gottesauge.

TIPP

Je dicker deine Wolle ist, desto schneller ist das Gottesauge fertig.

LESEZEICHEN AUS DEM WALD

Herbstzeit ist Lesezeit, denn wenn es draußen kälter wird, machen wir es uns zu Hause mit einem guten Buch gemütlich. Das Fuchs-Lesezeichen ist ein toller Begleiter für alle Leseratten, denn es sorgt dafür, dass du immer die richtige Seite aufschlägst.

MATERIAL

Papier 15 x 15 cm (hier orange) x Klebestift x weißes Papier x schwarzer Filzstift

SO GEHT ES

1 Falte dein Papier einmal längs und einmal quer. Falte es dann wieder auf und schneide ein kleines Quadrat heraus. Übrig bleiben drei aneinanderhängende Quadrate.

2 Klebe nun die beiden äußeren Quadrate mit einem Klebestift aufeinander. Jetzt liegt eine Raute vor dir, die wie eine Tasche in der Mitte geöffnet werden kann.

3 Klappe die Hälfte der Raute nach vorne um und klebe es mit einem Klebestift fest. Das Lesezeichen ist jetzt quasi fertig. Es muss nur noch verziert werden.

4 Schneide aus weißem Papier zwei rundliche Teile aus, klebe sie an die Seiten deines Fuchskopfes und schneide die Enden ab. Schneide Ohren aus orangefarbenem und weißem Papier und klebe diese ebenfalls fest. Die Nase kannst du aus schwarzem Papier machen oder, wie die Augen, mit Filzstift aufmalen.

TIPP

Es muss nicht unbedingt ein Fuchs sein. Das Lesezeichen kannst du auch in Form eines Bären, einer Maus oder was dir in den Sinn kommt, machen.

KUGEL-LABYRINTH

Nur wer sich geschickt anstellt, schafft es, die Kugel ins Ziel zu bringen. Sammle auf einem Waldpaziergang Zweige und bastle dir ein buntes Kugellabyrinth!

MATERIAL

Schuhkarton-Deckel × Geschenkpapier × Schere × Klebestift × kleine Zweige und Eicheln × Acrylfarbe × Heißkleber × Papier und Stempel (optional)

SO GEHT ES

1 Klebe deinen Schuhkarton-Deckel als Erstes mit Geschenkpapier aus. Lege ihn dafür auf ein Stück Geschenkpapier und schneide die Ecken bis zum Karton hin ein. Jetzt kannst du das Geschenkpapier mit einem Klebestift im Karton festkleben, den Rest über die Ränder klappen und ebenfalls festkleben.

2 Male deine Stöcke und Eicheln mit Acrylfarbe an und lasse sie trocknen. Lege das Labyrinth mit deinen Stöcken und Eicheln im Schuhkarton aus. Du kannst die Stöcke so lange herumschieben, bis du ein gutes Labyrinth gebaut hast. Die Eicheln kannst du als „Hindernisse" in die Mitte von größeren freien Flächen setzen. Mache am besten ein Foto, falls die Stöcke verrutschen. Klebe dann alle Teile mit der Heißklebepistole im Schuhkarton fest.

3 Wenn du möchtest, kannst du noch ein Schild für Start und Ziel gestalten. Schneide dafür einfach eine Zick-Zack-Form aus buntem Papier aus und beschrifte deine Schilder oder benutze Stempel dafür. Klebe die Schildchen mit Klebestift fest.

TIPP

Stoppe die Zeit, die du brauchst, um deine Kugel ins Ziel zu bringen und schlage dann deinen eigenen Rekord.

BUNTES PAPIERGEMÜSE

Dieses Obst und Gemüse kann man zwar nicht essen, es gibt aber eine wunderbare Deko für das Erntedankfest ab und eignet sich auch super für den Kaufladen.

MATERIAL

Papier in verschiedenen Farben (2 Blätter pro Gemüse) × Bleistift × Schere × Bastelkleber

SO GEHT ES

1 Lege zwei DIN-A4-Blätter übereinander und falte sie zwei Mal in der Mitte. Zeichne dann an der Seite mit Faltung das halbe Gemüse auf – hier die halbe Birne, bei einer Tomate wäre es ein Halbkreis, bei der Karotte ein halbes Dreieck etc. Schneide dann entlang der Linie aus. Jetzt hast du vier Birnen mit Faltung in der Mitte.

2 Schneide aus braunem Papier oder Tonkarton einen Stiel aus und klebe ihn auf eine der Birnen. Klebe dann alle Birnen entlang der Faltung mit Bastelkleber zusammen. Lasse den Kleber trocknen und knicke die Seiten deiner Birne so, dass sie gleichmäßig sind.

1

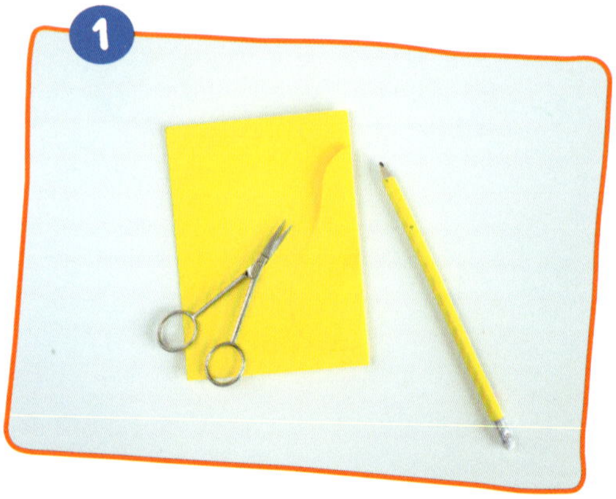

2

HERBSTBILDER AUS BOHNEN & LINSEN

Bohnen und Linsen schmecken nicht nur lecker, sondern man kann damit auch wunderbar kreativ werden. Lege kunterbunte Mosaik-Bilder und bring ein wenig Herbststimmung in dein Kinderzimmer!

MATERIAL

fester Karton (21 x 21 cm) x Bastelkleber (am besten lösungsmittelfrei) x Vorlage x Bleistift x Bohnen und Linsen (hier weiße Bohnen und schwarze Linsen) x Acrylfarbe und Pinsel

SO GEHT ES

1 Übertrage eine der Vorlagen (Bär oder Pilze) von Seite 124 auf deinen Karton. Klebe dann zunächst die kleinen Flächen mit Bohnen und Linsen aus. Hier haben wir für die Augen und die Nase Linsen verwendet, für den Rest Bohnen. Dafür kannst du den Kleber auf der Fläche verteilen und anschließend die Bohnen/Linsen festkleben.

2 Male dann die einzelnen Flächen an und lasse die Farbe trocknen. Nun kannst du die große Fläche (hier das Gesicht) aufkleben. Bedecke immer nur einen Teil mit Kleber, klebe dann die Bohnen auf und mache Stück für Stück weiter. Du kannst auch die Bohnen auf das Bild streuen, dann musst du sie nur zurechtrücken. Wenn du fertig bist, male das Gesicht an und lasse es trocknen.

3 Zum Schluss ist der Hintergrund an der Reihe, und zwar genau so, wie du es in Schritt 1 und 2 gemacht hast.

1

2

GESPENSTER-MARIONETTE

Wer spukt denn da am helllichten Tag herum? Es ist unsere Gespenster-Marionette.
Die Arme lassen sich durch Schnüre bewegen – so sieht es aus, wie ein richtiges Gespenst.
Das ist die perfekte Bastelidee für alle Gruselfreunde!

MATERIAL

Zeitung × Stoffrest (hier 60 x 60 cm) × Schere × Schnüre × große Nadel × 2 Holzperlen × Stoffmarker × Holzlatte oder Stock zum Befestigen der Marionette (optional)

SO GEHT ES

1 Knülle aus zwei Doppelseiten Zeitung eine Kugel zusammen, umwickle sie mit Schnur und mache einen Knoten. An einer Seite sollte ein langes Stück Schnur dranbleiben – hier wird die Marionette später aufgehängt.

2 Falte deinen Stoff zu einem Dreieck, lege ein Stück Zeitung zwischen die beiden Lagen und male das Gesicht mit Stoffmarkern auf.

3 Fädle die Schnur an deinem Zeitungsball durch eine große Nadel und steche sie oben durch den Stoff – das ist der Kopf des Gespenstes. Jetzt fehlen noch die Hände: Wickle dafür die Holzperlen in die Enden deines Stoffdreiecks und binde sie mit Schnur fest. Auch hier je ein langes Stück Schnur übriglassen. Die Schnüre von Kopf und Händen kannst du jetzt so zurechtschneiden, dass du die Marionette gut halten kannst. Wenn du möchtest, kannst du die Hände auch an einen Stock binden.

1

2

3

TIPP

Falls du keinen Stoff hast, kannst du auch eine Mini-Gespenster-Marionette aus einem Taschentuch basteln.

TÜTE MIT MOOSGUMMI-STEMPELN

Süßes oder Saures! Wer an Halloween um die Häuser zieht, braucht nicht nur ein Kostüm, sondern auch etwas um die Süßigkeiten zu verstauen. Aus Moosgummi kannst du einfach Stempel machen und damit Papiertüten oder Stofftaschen bedrucken.

MATERIAL

Moosgummi × Bleistift × Schere × Vorlage × Bauklotz × Bastelkleber (für Moosgummi geeignet) × Stempelkissen × Papiertüte

SO GEHT ES

1 Übertrage die Vorlage auf dein Moosgummi und schneide den Kürbis aus. Falls es dir zu schwierig ist, Augen und Mund auszuschneiden, kannst du auch nur die Form des Kürbisses als Stempel nehmen und das Gesicht später von Hand aufmalen.

2 Klebe jetzt deinen Kürbis auf einen Bauklotz. Nicht jeder Bastelkleber kann Moosgummi kleben. Verwende also einen, auf dem steht, dass er für Moosgummi bzw. flexible Materialien geeignet ist.

3 Sobald der Kleber getrocknet ist, kannst du mit dem Stempeln los legen. Am besten funktioniert es mit einem Stempelkissen, aber du kannst auch Acrylfarbe verwenden. Pinsle dafür deinen Moosgummistempel sparsam mit Farbe ein und stemple drauflos.

1

2

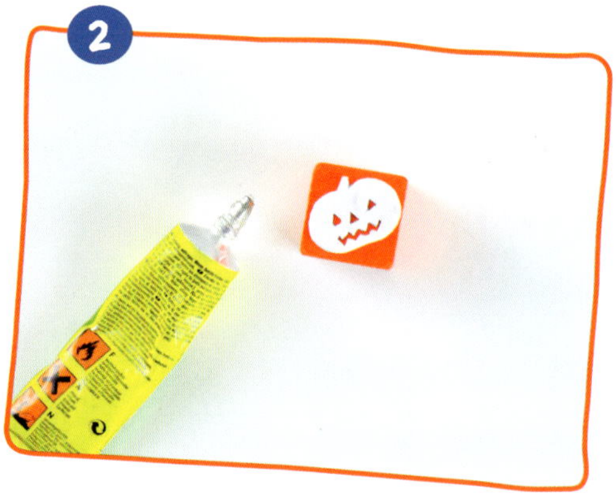

TIPP

Aus Moosgummi kannst du auch andere Stempel wie z. B. Sterne, Herzen, Kreise etc. machen.

SOCKEN-MONSTER

Die Monster sind los! Wirf einzelne oder zu klein gewordene Socken nicht in den Müll, sondern verwandle sie in freundliche Sockenmonster!

MATERIAL

Socke × Füllwolle × Linsen × Trichter × Stoffschere × Nadel und Faden × Bastelfilz × Glubschaugen × Textilkleber oder Bastelkleber × ggf. Wolle für die Haare

SO GEHT ES

1 Stopfe den Fußteil einer alten Socke bis 2 cm vor der Ferse mit Füllwatte aus.

2 Fülle die Socke jetzt bis zur Ferse mit Linsen. Dafür kannst du einen Trichter zu Hilfe nehmen. Die Linsen sorgen dafür, dass dein Monster später stehen kann. Falls du keine Linsen hast, kannst du auch kleine Kieselsteinchen verwenden.

3 Schneide deine Socke an der Ferse ab und nähe das Loch zu. Halte die Socke dabei gerade, damit die Linsen nicht herauskullern. Frage deine Mama oder deinen Papa, ob sie dir dabei helfen können.

4 Jetzt kannst du dein Monster verzieren. Klebe Glubschaugen auf und schneide aus Bastelfilz Zähne, Füße und Arme aus. Wenn du möchtest, kannst du auch Haare aus Wolle aufkleben.

PILZE AUS PAPPMACHÉ

Lass den Herbst bei dir einziehen und bastle bunte Pilze aus Pappmaché. Zweige und Moos kannst du bei einem Spaziergang im Wald sammeln.

MATERIAL

Zeitungspapier × Kleister × Zweige × Acrylfarbe × Pinsel × Formmasse oder Knete × Moos × ein Gefäß zum Reinstellen

SO GEHT ES

1 Rühre den Kleister nach den Anweisungen auf der Packung an. Nimm eine Seite Zeitung und knülle sie zusammen. Drücke sie ein wenig flach und klebe Fetzen aus Zeitungspapier drum herum, sodass eine Pilzform entsteht.

2 Lege deinen Pilzkopf an einen Zweig und verbinde die beiden Teile mit weiteren Zeitungsschnipseln und Kleister. Stelle deinen Pilz zum Trocknen über Nacht in ein Glas oder eine Vase.

1

2

AUF DER NÄCHSTEN SEITE GEHT ES WEITER →

SO GEHT ES WEITER

3 Male deinen Pilz bzw. deine Pilze mit Acrylfarbe an. Male zunächst die Grundfarbe und lasse sie trocknen. Dann kannst du mit Weiß (oder auch einer anderen Farbe) Punkte aufmalen.

4 Lege Knete oder Formmasse in ein Gefäß (z. B. eine Schale, einen Blumentopf ...) und stecke die Pilze hinein. Verwende genug Knete/Formmasse, dass sie frei stehen können. Decke zum Schluss alles mit Moos ab.

RAKETEN-LATERNE

Ich geh' mit meiner Laterne ... Es muss nicht immer die klassische Laternen-Form sein. Wie wäre es dieses Jahr mit einer Rakete aus einer PET-Flasche?

MATERIAL

leere PET-Flasche (1,5 Liter) × Cutter × Prickelnadel oder spitze Schere × Draht × Klebeband × Seidenpapier in Blau und Silber × Kleister × Vorlage × festes Papier (ca. 160 g) × Bastelkleber × Krepp-Band in Orange, Rot und Gelb × Schere × LED-Licht/LED-Kerze

SO GEHT ES

1 Schneide mit dem Cutter ein ca. 5 cm breites Stück aus deiner PET-Flasche aus, damit die Rakete nicht so lang wird. Schneide unten eine Luke aus, in die später das LED-Licht gesteckt werden kann. Am besten fragst du deine Eltern, ob sie dir dabei helfen.

2 Steche mit einer Prickelnadel oder einer spitzen Schere links und rechts ein Loch in den Flaschenhals und stecke ein Stück Draht hindurch. Zwirble es oberhalb des Flaschenhalses zusammen. Hiermit wird die Laterne später am Stock befestigt. Klebe die beiden Flaschenhälften mit Klebeband zusammen.

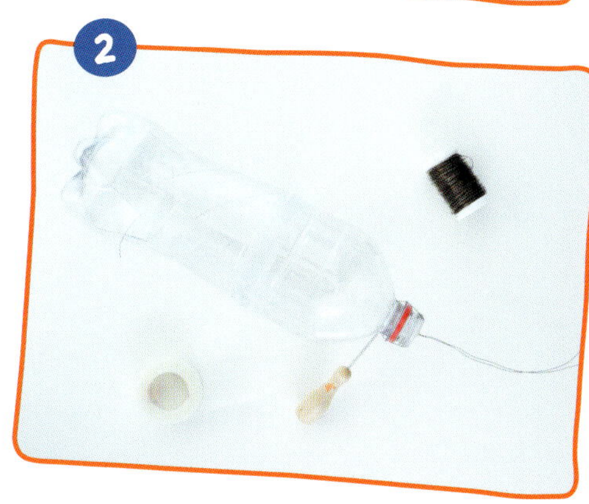

AUF DER NÄCHSTEN SEITE GEHT ES WEITER →

SO GEHT ES WEITER

3 Rühre den Kleister laut Packungsanweisung an und reiße oder schneide das Seidenpapier in Schnipsel. Klebe dann die Schnipsel mit Kleister auf deine Flasche. Hier ist der untere Teil mit silberfarbenem Seidenpapier beklebt, damit es so aussieht wie die Düsen der Rakete. Schneide ebenfalls aus silberfarbenem Seidenpapier zwei Kreise aus und klebe sie als Fenster auf.

4 Übertrage die Vorlage auf festes Papier und schneide sie aus (bei den Landearmen kannst du auch Tonkarton verwenden). Aus dem kreisförmigen Teil wird die Spitze der Rakete. Lege sie um den Draht herum und fixiere das Ende mit Klebeband. Klebe dann die Spitze mit Bastelkleber an deiner Rakete fest. Und die Landearme seitlich.

5 Schneide Streifen aus Krepp-Band zurecht. Das geht am einfachsten, wenn du es doppelt legst. Wenn du möchtest, kannst du die Enden spitz zuschneiden, so sieht es noch mehr nach Feuer aus. Klebe das Krepp-Band dann mit Bastelkleber unten an der Rakete fest. Befestige den Draht an deinem Laternenstab und stelle eine LED-Kerze hinein.

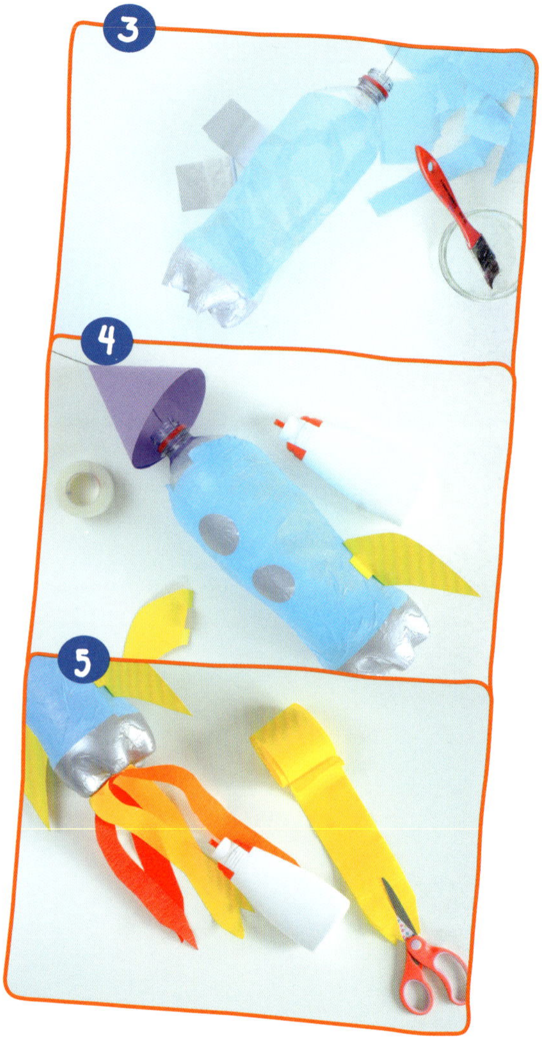

TIPP

Achtung! Verwende bei geschlossenen Laternen immer ein LED-Licht, keine Kerze!

WINTER-ZEIT

Draußen ist es kalt und wir warten schon darauf, dass der erste Schnee fällt. Natürlich freuen wir uns ganz besonders auf den Advent und Weihnachten und basteln viele tolle Deko-und Geschenkideen für das Fest. Aber auch für die Zeit danach findest du in diesem Kapitel tolle winterliche Kreativ-Projekte!

TIPP

Kleine Tannenbäumchen, eine Treppe oder Puppenhausmöbel eignen sich super, um deine Wichteltür in Szene zu setzen.

WINTERLICHE WICHTELTÜR

In Skandinavien gibt es den Brauch, im Dezember eine Wichteltür im Haus anzubringen. durch diese Tür können dann Weihnachtswichtel kommen, die heimlich kleine Geschenke hinterlassen, das Haus schmücken oder Schabernack treiben. Probiere es aus und bastle auch eine Wichteltür – vielleicht kommt ja ein Weihnachtswichtel zu Besuch!

MATERIAL

9 Eisstäbchen x kleine Säge oder Rosenschere x Bastelkleber x Acrylfarbe x kleine Holzperle x etwas Grün oder Zweige, Schleifenband, Kunstschnee und Glöckchen zum Verzieren (optional) x Streichholzschachtel und Geschenkpapier (optional) x doppelseitiges Klebeband

SO GEHT ES

1 Säge zwei Eisstäbchen auf eine Länge von 6,8 cm zu. Alternativ kannst du auch eine Rosenschere verwenden. Frage deine Eltern, ob sie dir dabei helfen. Lege dann sieben ganze Stäbchen nebeneinander und klebe die gekürzten oben und unten an.

2 Wenn der Kleber trocken ist, male die Türe in deiner Lieblingsfarbe an oder gestalte sie, wie du willst.

3 Während die Farbe trocknet, baue einen kleinen Briefkasten. Darin kannst du später Briefe an den Wichtel stecken und vielleicht bekommst du auch einen zurück …? Schneide dafür etwas Geschenkpapier zurecht und wickle es um eine Streichholzschachtel. Wenn du möchtest, kannst du sie noch verzieren. Dekoriere dann die Tür, indem du neben Kunstschnee z. B. einen Zweig, eine Schleife oder ein Glöckchen mit Kunstschnee draufklebst. Wenn alles fertig ist, klebe die Türe und den Briefkasten mit doppelseitigem Klebeband an der Wand fest.

1
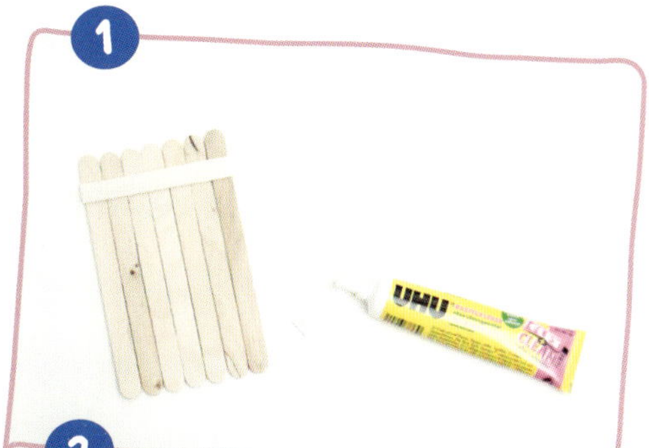

2
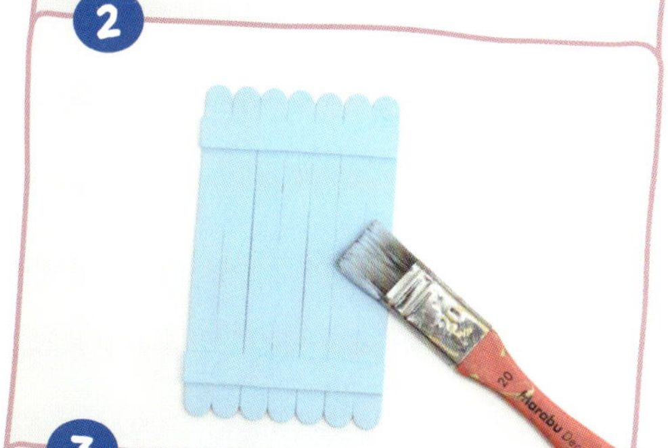

3

TIPP

Stecke immer am Adventssonntag das Licht einer weiteren Kerze an und mache daraus dein eigenes Advents-Ritual.

ADVENTSKRANZ AUS KLOROLLEN

Dieser Adventskranz kann garantiert kein Feuer fangen und bringt Adventsstimmung ins Kinderzimmer.

MATERIAL

4 Klorollen × Fernglas × Heißkleber × Acrylfarbe (hier in Rot) × Pinsel × Tonkarton in Gelb und Orange × Bleistift × Schere × Cutter

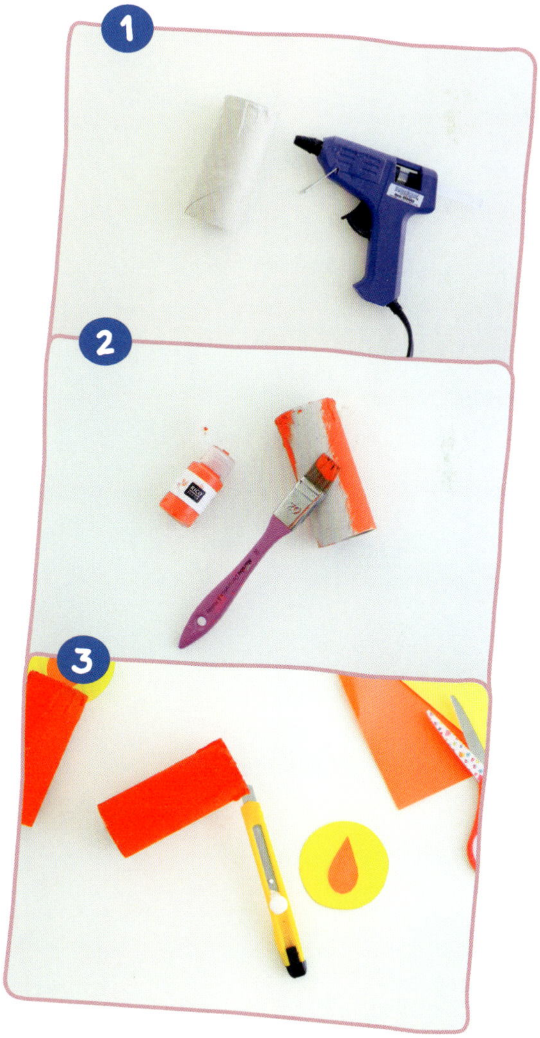

SO GEHT ES

1 Verteile am oberen Rand jeder Klorolle Heißkleber. Frage deine Eltern, ob sie dir dabei helfen. Du kannst dicke Tropfen herunterlaufen lassen, das sieht dann später aus wie Wachs. Lasse den Kleber trocknen und reiße oder schneide alle kleinen Klebeschnüre ab, die manchmal auftauchen.

2 Male deine Kerzen mit Acrylfarbe an. Lasse die Farbe am besten trocknen und male sie ein weiteres Mal an, bis sie gut deckt. Trage auch im Inneren der Klorollen bis etwa zur Hälfte Farbe auf.

3 Schneide für jede Kerze einen Kreis und eine Flamme aus Tonkarton aus. Den Kreis kannst du mithilfe einer Klebebandrolle oder Eierbecher und Bleistift auf das gelbe Tonpapier übertragen. Zeichne die Flamme von Hand auf. Wenn du möchtest, kannst du auch die Tropfen des Regenbogenmobiles von Seite 120 als Vorlage verwenden. Klebe die Flamme mit einem Klebestift auf den Kreis. Schneide mit einem Cutter links und rechts einen ca. 1 cm tiefen Schlitz in die Kerze. Jetzt kannst du deinen Kerzenschein einfach hineinstecken.

TIPP

Du kannst die Sterne auch ohne Pompoms und Glitter basteln. Zum Verzieren eignen sich auch Acrylfarbe, buntes Papier oder Strasssteinchen. Bestimmt findest du in deiner Bastelkiste passendes Material.

STERNE AUS EISSTIELEN

Sie glitzern, sind bunt und geben am Fenster, im Baum oder an der Wand eine tolle Deko ab. Sterne aus Eisstielen kannst du ganz einfach selber machen und ganz nach deiner Vorstellung gestalten.

MATERIAL

Eisstäbchen × Bastelkleber × Glitter (optional) × Pompoms (optional) × Schnur oder Faden zum Aufhängen

SO GEHT ES

1 Klebe immer zwei Eissterne über Kreuz zusammen und lasse den Kleber trocknen. Klebe dann für jeden Stern zwei Kreuze übereinander und lasse den Kleber erneut trocknen. Insgesamt brauchst du also acht Eisstiele pro Stern.

2 Trage nun Bastelkleber auf eine Seite deines Sterns auf und bestreue ihn mit Glitter. Lasse den Glitter trocknen, bevor du mit dem nächsten Schritt weitermachst.

3 Klebe nun mit Bastelkleber bunte Pompoms auf deinen Stern. Binde zum Aufhängen eine Schnur oder einen Faden an die hinteren beiden Eisstäbchen.

TIPP

Verstecke doch Material zum Wachsgießen in den Überraschungsbonbons und schau, was das neue Jahr bringt.

NUSSKNACKER AUS WÄSCHEKLAMMERN

Nüsse können diese Nussknacker zwar nicht knacken, aber dafür sehen sie richtig toll aus. Du kannst sie zu Weihnachten verschenken, als Baumschmuck verwenden oder Geschenke damit dekorieren.

MATERIAL

Wäscheklammern x Klebeband x dicke und dünne Pinsel x Acrylfarbe x Schaschlikspieß x Bastelkleber x Watte oder Füllwolle

SO GEHT ES

1 Klebe ca. 1,5 cm vom oberen Rand entfernt ein Stück Klebeband auf eine Seite der Wäscheklammer und male den Rest mit Acrylfarbe an. Ziehe das Tape wieder ab und lasse die Farbe trocknen.

2 Male nun die Details wie Zähne, Bart und Schuhe mit einem dünnen Pinsel auf. Für ganz feine Teile, wie die Knöpfe an der Jacke oder die Augen, kannst du einen Schaschlikspieß in Farbe tunken und damit „malen". Lasse die Farbe wieder gut trocknen.

3 Klebe mit Bastelkleber links und rechts je etwas Füllwolle oder Watte als Haare auf.

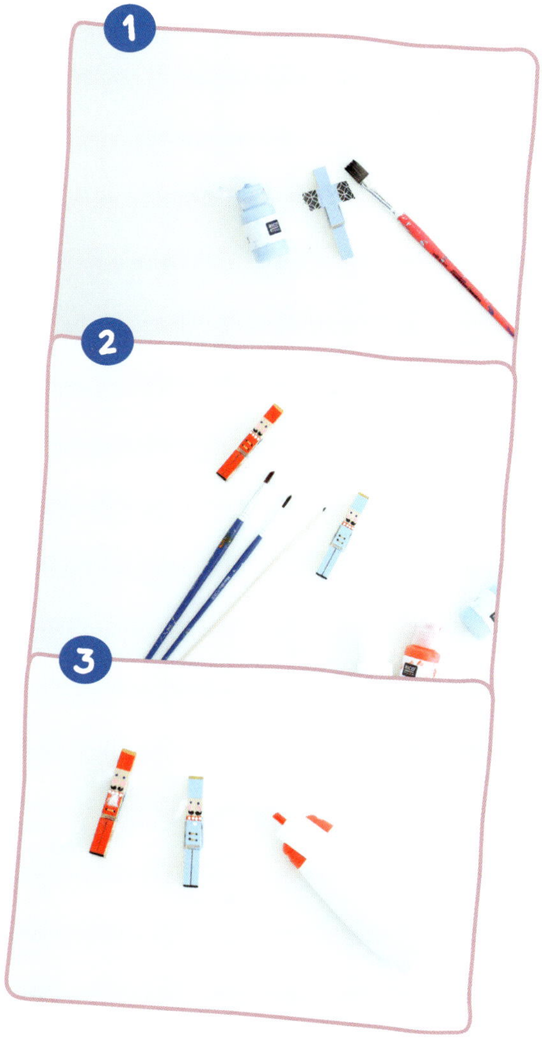

TIPP
Du kannst auch auf Stoff stempeln. Dann lässt sich dein Geschenk-Stoff jedes Jahr wieder verwenden!

GESCHENKPAPIER MIT KARTOFFELDRUCK

Gestalte dein eigenes Geschenkpapier mithilfe einer Kartoffel. Wenn du z. B. Packpapier recycelst, schonst du so die Umwelt und kannst Geschenke ganz nach deinen Vorlieben gestalten.

MATERIAL

große Kartoffel × Plätzchen-Ausstecher × Küchenmesser × Wasserfarbe × Pinsel × Wasser × Schwammtuch

SO GEHT ES

1 Schneide eine Kartoffel in der Mitte durch und drücke einen Plätzchenausstecher hinein. Schneide dann mit einem Küchenmesser den Rand bis zum Ausstecher hin ab. Frage deine Eltern, ob sie dir dabei helfen können.

2 Trage mit dem Pinsel Wasserfarbe auf das Motiv in der Kartoffel auf. Die Farbe sollte nicht zu flüssig sein. Lege am besten ein Schwammtuch daneben, auf dem du überschüssige Farbe wegtupfen kannst. Säubere die Kartoffel, bevor du eine neue Farbe verwendest. Auch hier kannst du das Schwammtuch zum Abwischen nehmen.

1

2

TANNENBÄUME AUS EIERKARTONS

Oh Tannenbaum ... Im Miniformat sehen die kleinen Tannenbäumchen einfach zuckersüß aus. Du kannst sie als weihnachtliche Deko oder auch als Geschenkidee basteln.

MATERIAL

Eierkartons (am besten in Grün) × Bastelkleber × Acrylfarbe (optional) × Pompoms

SO GEHT ES

1 Reiße aus Eierkartons die spitzen Trenner vorsichtig heraus. Pro Baum brauchst du 2–3 von den Trennern. Am besten funktionieren grüne Kartons, denn die kannst du lassen, wie sie sind. Falls du braune Eierkartons verwendest, male die Trenner mit Acrylfarbe grün an und lasse sie trocknen. Klebe dann 2–3 davon aufeinander und lasse den Kleber trocknen.

2 Klebe nun mit Bastelkleber bunte Pompoms auf deine Bäume. Wenn du möchtest, kannst du auch Sterne ausstanzen oder ausschneiden und als Baumspitze aufkleben.

1

2

GEFÄRBTE WICHTELKERZE

Die kleinen Wichtelkezen sind eine tolle Geschenkidee für Weihnachten. Aber auch als Advents-Lichtlein machen sie eine gute Figur.

MATERIAL

Stabkerze x Wachsreste oder Kerzen in Weiß x Messer x Wachsstifte aus Bienenwachs (rot und schwarz) x hohes Glas x Topf mit Wasser x Schaschlikspieß x Ofenhandschuhe x Teelicht x Schaschlikspieß x Zeitungspapier zum Unterlegen

SO GEHT ES

1 Frage deine Eltern, ob sie dir bei diesem Projekt helfen. Schneide weiße Kerzen(-reste) mit einem Messer klein, gib sie in ein hohes Glas und schmelze sie im Wasserbad. Schneide ein daumennagelgroßes Stück des roten Bienenwachsstiftes ab und gib ihn dazu. Rühre mit einem Schaschlikspieß um.

2 Wenn das Wachs vollständig flüssig ist, nimm es vom Herd. Achtung, das Glas ist heiß, fasse es also nur mit Ofenhandschuhen an, nicht mit bloßen Händen! Tauche die Spitze deiner Stabkerze ins geschmolzene Wachs und ziehe sie sofort wieder heraus. Am besten ist, wenn jemand das Glas für dich hält. Tauche die Kerze noch zwei weitere Male ein.

3 Gib nun ein wenig schwarzen Wachsstift in ein Teelicht und lass es solange brennen, bis du schwarzes geschmolzenes Wachs hast. Tippe mit einem Zahnstocher hinein und „male" mit dem flüssigen Wachs Augen, Nase und Mund auf.

COOLE SCHNEEMÄNNER

Falls du sehnsüchtig auf den ersten Schnee wartest, kannst du schon mal drinnen ein paar Schneemänner bauen. Diese hier sind aus Wattekugeln und geben eine coole Winterdeko ab.

MATERIAL

Wattekugeln (hier mit 3 und 4 cm Durchmesser) x Bastelkleber x Schaschlikspieße x Acrylfarbe x Bastelschere x schwarze Linsen x weiße Knete x Korken x schwarze Acrylfarbe x schwarzes Tonpapier x Filzstift x Schere

SO GEHT ES

1 Male die Spitze deiner Schaschlikspieße orange an, lasse sie trocknen und schneide dann die Spitze ab. Stecke Letztere in eine der kleineren Wattekugeln und klebe die Kugel auf eine größere. Wenn du möchtest, kannst du auch zwei kleine und eine große Kugel übereinanderkleben.

2 Wenn der Kleber trocken ist, klebe als Nächstes schwarze Linsen als Mund, Augen und Knöpfe auf.

3 Bastle noch die Accessoires für deine Schneemänner: Halbiere für den Hut einen Korken, male ihn schwarz an und klebe ihn auf einen Kreis aus Tonpapier. Für den Schal schneide aus Filz einen 1 cm breiten Streifen und diesen an den Enden mehrfach ein.

4 Damit deine Schneemänner stehen können, drücke auf ihrer Unterseite ein Stück weiße Knete an. Wenn du sie jetzt auf den Tisch stellst, wird die Knete platt gedrückt und der Schneemann bleibt stehen.

TIPP
Vogelfuttermischungen gibt es im Winter im Supermarkt. Du kannst aber auch einfach Sonnenblumenkerne nehmen.

VOGELFUTTER-ANHÄNGER

Besonders im Winter fällt es Vögeln oft schwer, Futter zu sammeln. Hilf den Tieren in deinem Garten und bastle Vogelfutter-Anhänger, die du in Bäume oder Stäucher hängen kannst.

MATERIAL

150 g Kokosfett x 50 g Vogelfutter-Mischung x Alufolie x Plätzchenausstecher x Zahnstocher x Schnur oder Band

SO GEHT ES

1 Schmelze das Kokosfett in einem Topf oder in der Mikrowelle. Frage deine Eltern, ob sie dir dabei helfen.

2 Umwickle deine Ausstecher mit Alufolie und zwar so, dass die Ränder möglichst gut verschlossen sind und die Alufolie oben über den Rand herausragt. Ist die Alufolie weniger hoch als der Ausstecher, läuft das Fett aus. Lege die Ausstecher in eine Kunststoffbox oder auf ein Backblech, falls sie auslaufen.

3 Mische dein Vogelfutter in das geschmolzene Fett, und gieße es vorsichtig in deine Ausstechformen. Gieße so viel hinein, dass die Form fast voll ist, aber nicht ganz. Falls ein wenig ausläuft, kannst du später noch einmal nachgießen. Lege die Formen zum Aushärten in den Kühlschrank. Wenn sie weiß sind, ist die Masse hart.

4 Nun kannst du mit einem Zahnstocher ein Loch hineinstechen und eine Schnur zum Aufhängen anbringen.

TIPP

Deine Überraschungsbonbons kannst du z. B. mit Konfetti, kleinem Spielzeug, Süßigkeiten oder kleinen Basteleien befüllen.

ÜBERRASCHUNGS-BONBONS

Überraschungsbonbons sorgen auf Partys oder bei der Silvesterfeier immer für viel Freude. So fängt das neue Jahr doch gut an!

MATERIAL

Klorollen × dünnes Geschenkpapier × Klebestift × Schnur oder Band × Cutter × etwas Tonpapier × Klebeband

SO GEHT ES

1 Schneide ein Stück Geschenkpapier so zurecht, dass es auf jeder Seite ca. 7 cm länger ist als deine Klorolle. Klebe das Geschenkpapier mit einem Klebestift fest und binde die Enden mit Schleifenband zusammen. Je dünner das Geschenkpapier ist, desto einfacher lässt es sich zusammenbinden.

2 Schneide dein Klorollen-Bonbon in der Mitte mit einem Cutter durch. Frage deine Eltern, ob sie dir dabei helfen. Klebe dann ein ca 2–3 cm breites Stück Tonpapier von innen in einer den beiden Bonbonhälften fest.

3 Jetzt kannst du die beiden Bonbonhälften einfach aufeinander stecken. Vergiss aber nicht, die Bonbons noch zu füllen! Klebe sie mit einem Streifen Klebeband locker zusammen. Wenn du nun an den Seiten ziehst, öffnet sich das Überraschungsbonbon in der Mitte.

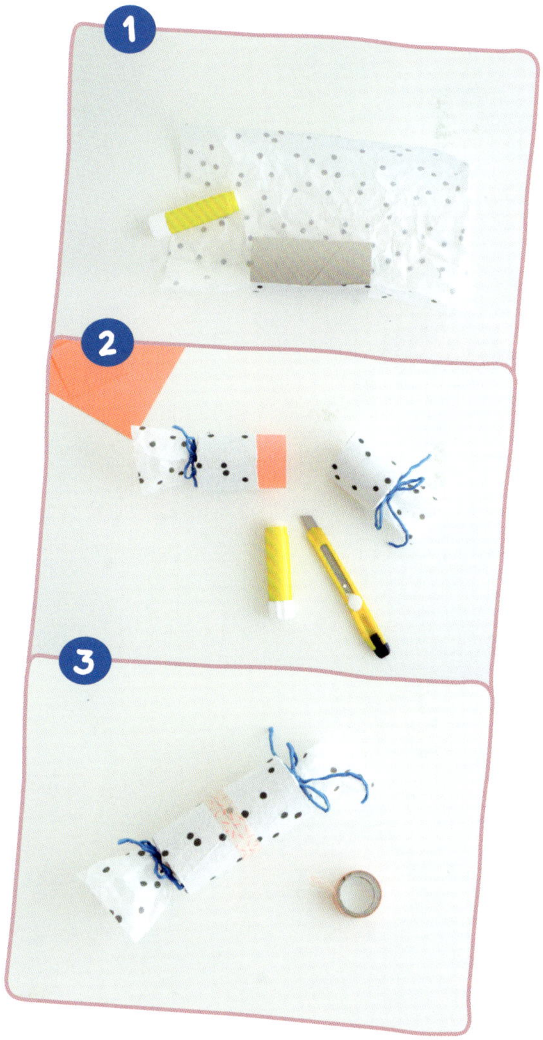

TIPP

Falls du keinen Tonkarton hast, kannst du auch einen Versandkarton verwenden und mit Papier bekleben oder anmalen.

HAMPEL-ENGELCHEN

Alle kennen Hampelmänner, aber hast du schon einmal einen Hampelengel gesehen? Die Flügel sind beweglich und du kannst sie auf und ab bewegen, indem du an der Schnur ziehst.

MATERIAL

Tonkarton (hier in den Farben Rosa, Weiß, Beige und Gelb) x Vorlage x Schere x Klebestift x Stift x Prickelnadel x 2 Versandklammern x Schnur x Holzperle x Bastelkleber

SO GEHT ES

1 Übertrage alle Teile der Vorlage von Seite 126 auf deinen Tonkarton und schneide sie aus. Lege die Flügel erst mal beiseite, klebe den Kopf an das Kleid und die Haare an den Kopf. Male z. B. mit einem Filzstift das Gesicht des Engels auf. Wenn du möchtest, kannst du das Kleid auch noch dekorieren. Wir haben hier ausgestanzte Sterne und eine Bommelborte aufgeklebt.

2 Lege nun die Flügel von hinten auf deinen Engel und steche in der Mitte der inneren Kante mit der Prickelnadel ein Loch hinein. Steche das Loch auch durch den Engel durch, denn hier befestigen wir später die Flügel. Steche ein weiteres Loch in die obere Ecke der Flügel (diesmal aber nur durch die Flügel).

1

2

AUF DER NÄCHSTEN SEITE GEHT ES WEITER →

SO GEHT ES WEITER

3 Befestige die Flügel mit Versandklammern am Engel. Jetzt kommt der schwierigste Teil, das Anbringen der Schnur. Frage deine Eltern, ob sie dir dabei helfen können. Fädle ein kleines Stück Schnur durch die Löcher in den Ecken der Flügel. Drehe die Flügel etwas runter und knote die Schnur so an, dass sie straff sitzt. Knote nun eine etwas längere Schnur in die Mitte der ersten Schnur. Es ist wichtig, dass sie genau mittig platziert ist, damit der Hampelengel gut funktioniert. Du kannst probeweise einmal an der Schnur ziehen. Wenn alles passt, klebe die Schnur mit Bastelkleber fest und binde unten eine Holzperle an.

4 Steche noch ein Loch in den Kopf des Engels und bringe hier die Schnur zum Aufhängen an.

PUSTE-RAKETE

3-2-1-Start! Die Pusteraketen heben ab, wenn du in das Röhrchen pustest.
So kannst du es zu Silvester so richtig krachen lassen, ohne Lärm und Müll zu produzieren.
Der Spaßfaktor ist allerdings riesig!

MATERIAL

Papierröhrchen/-strohhalm × Klebeband × buntes Papier × Krepp-Papier × Klebestift

SO GEHT ES

1 Schneide aus einem Stück Papier ein ca. 3,5 x 4 cm großes Rechteck aus. Lege es hochkant vor dich hin und klappe zuerst oben ca. 0,5 cm ein, dann die beiden Seiten. Klebe dann mit einem Stück Klebeband die Vorderseite und den oberen Teil gut zu. Es darf keine Luft mehr durch kommen.

2 Drucke dir die Vorlage für die Rakete von Seite 124 aus. Du kannst die Rakete einfach ausmalen oder (wie hier) aus buntem Papier ausschneiden und zusammenkleben. Für das Feuer schneide ein Stück Krepp-Papier immer wieder ein, falte es wie einen Fächer zusammen und klebe es an deine Rakete.

3 Klebe nun deine Rakete so auf deine Papiertasche, dass der offene Teil am unteren Ende der Rakete ist. Jetzt kannst du die Rakete einfach locker auf einen Strohhalm stecken. Wenn du nun fest pustest, fliegt die Rakete los!

1

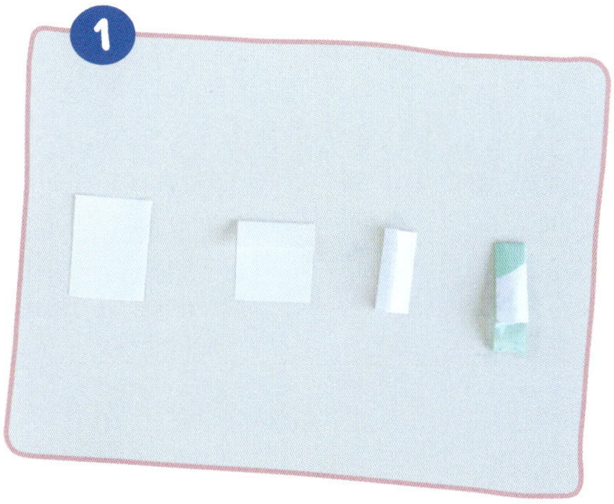

2

AUF DER NÄCHSTEN SEITE GEHT ES WEITER →

VORLAGEN
FRÜHLING

PRÄCHTIGE PAPIERKRONE
SEITE 12

Auf 200 % kopieren.

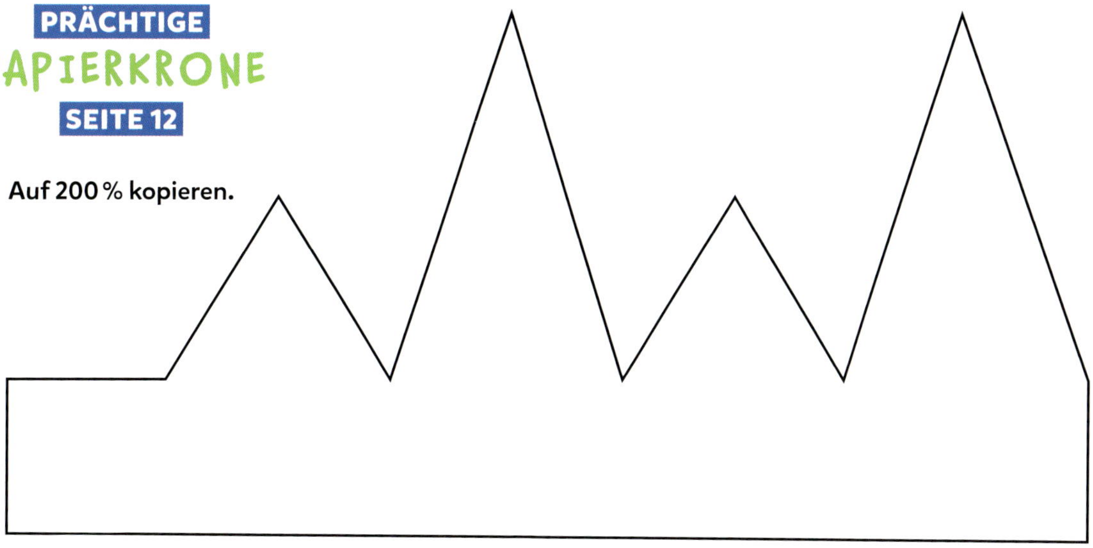

BUNTE TIERMASKEN
SEITE 16

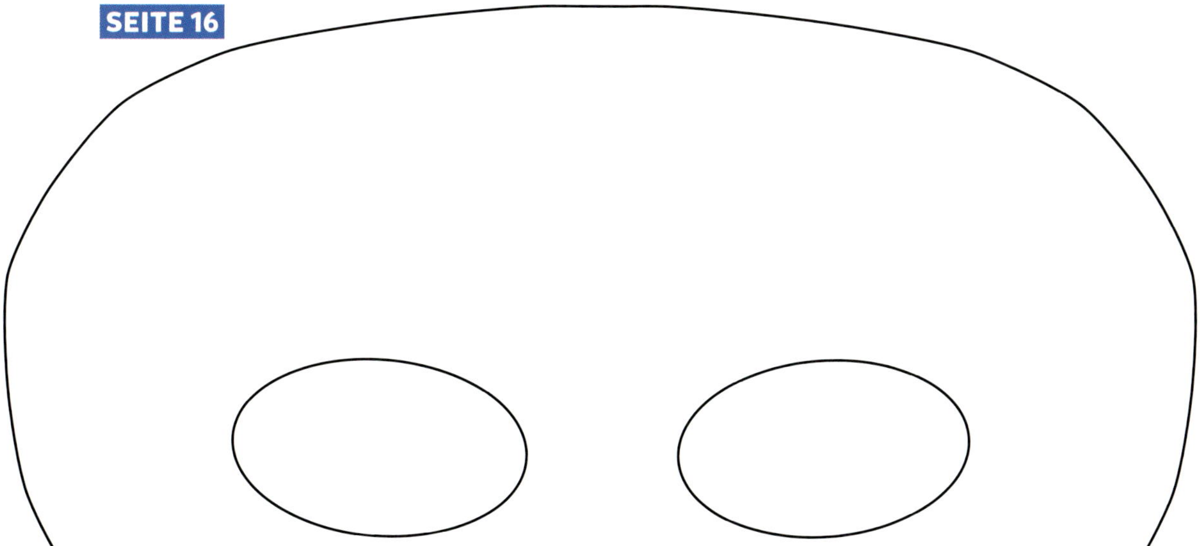

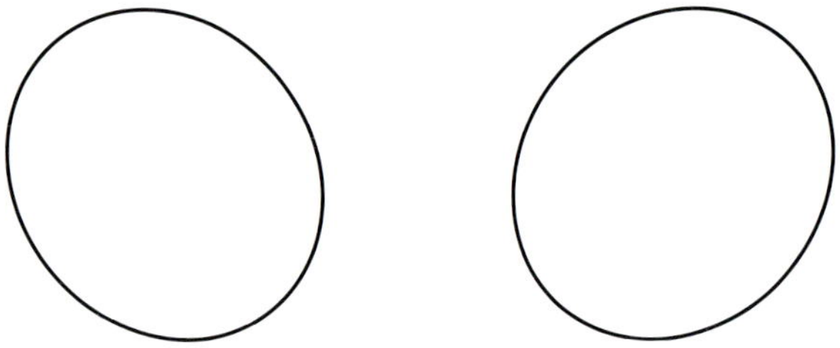

BUNTE

TIERMASKEN

SEITE 16

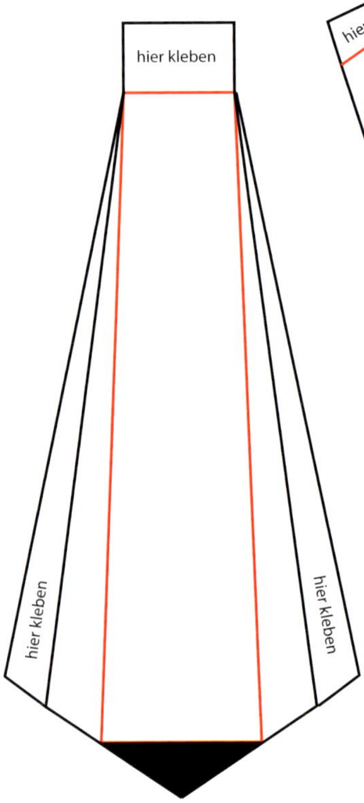

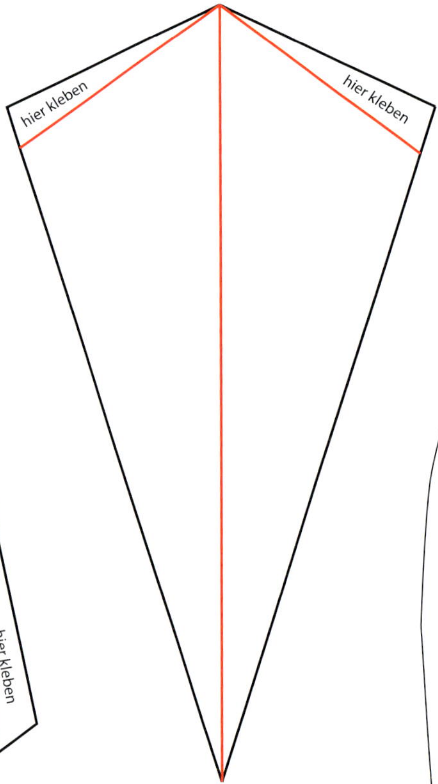

HASENOHREN

AUS PAPIER

SEITE 24

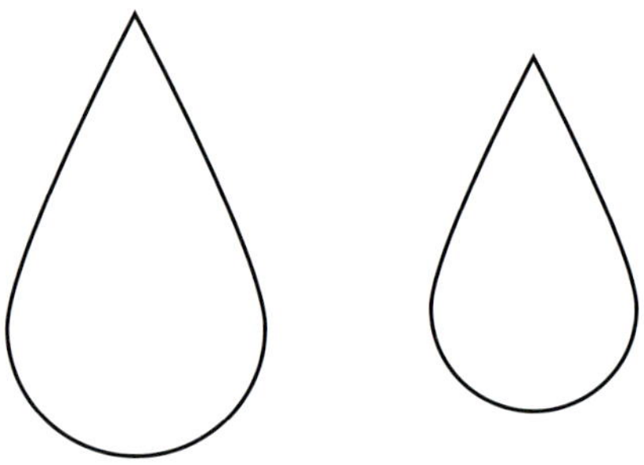

REGENWOLKEN-

MOBILE

SEITE 30

VORLAGEN
SOMMER

KLEINE
MEERJUNGFRAU
SEITE 53

SONNEN-
VISIER
SEITE 47

FISCH-
FANGBECHER
SEITE 59

SCHNAPP-
HAI
SEITE 61

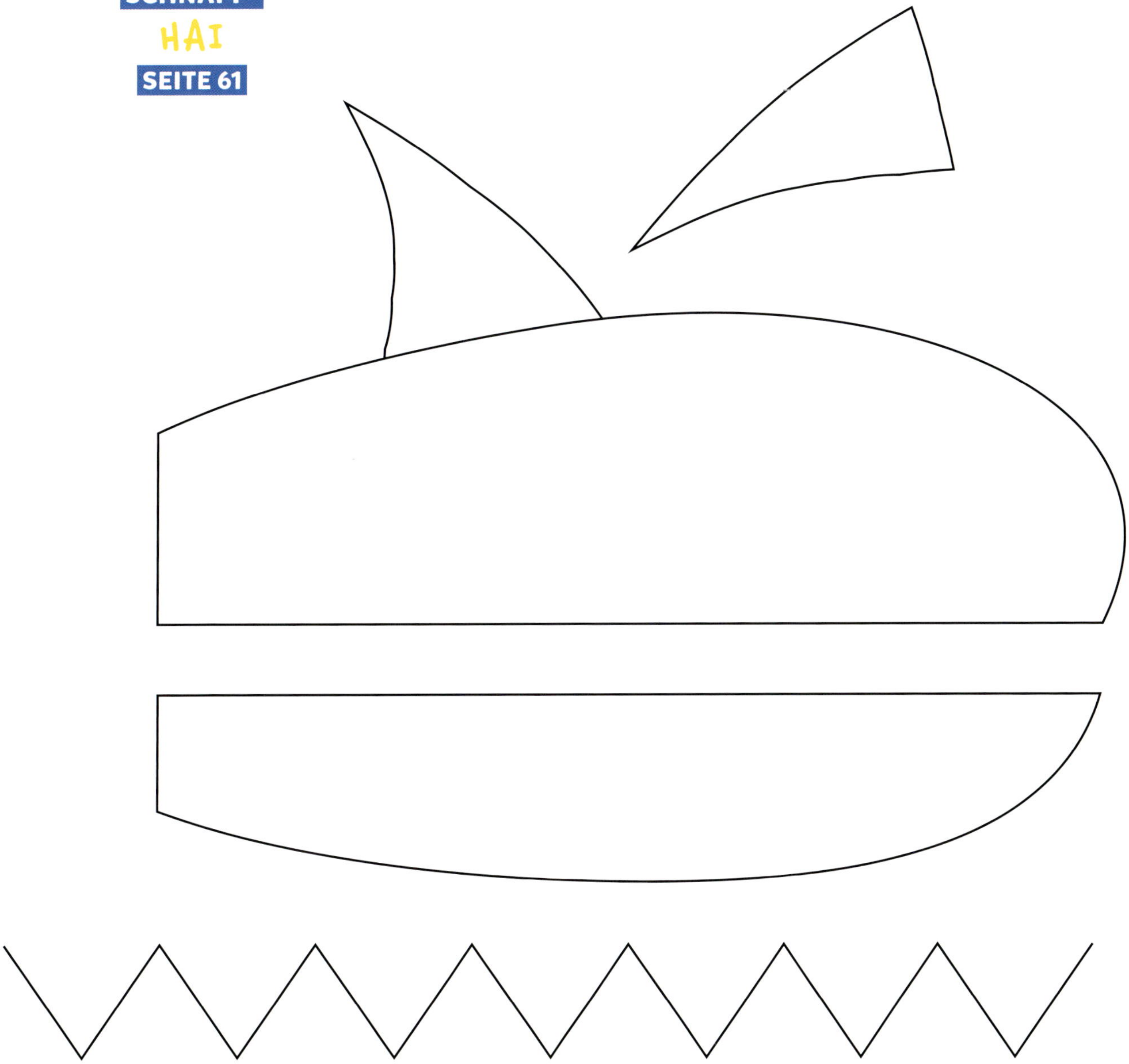

VORLAGEN HERBST

HERBSTBILDER AUS BOHNEN UND LINSEN

SEITE 78

Auf 200 % kopieren.

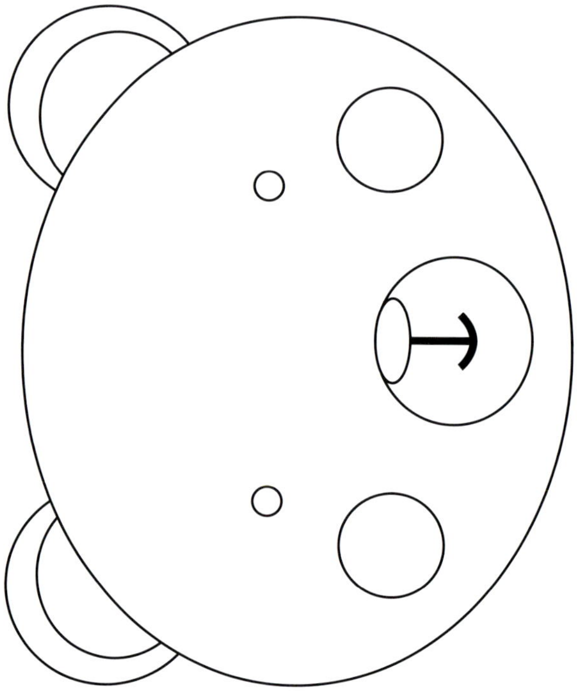

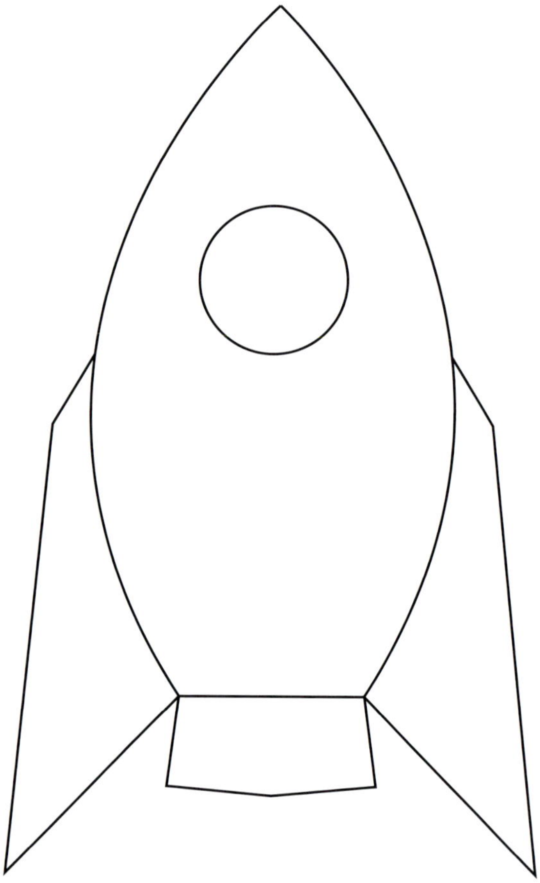

PUSTE-RAKETE

SEITE 117

RAKETEN-
LATERNE
SEITE 89

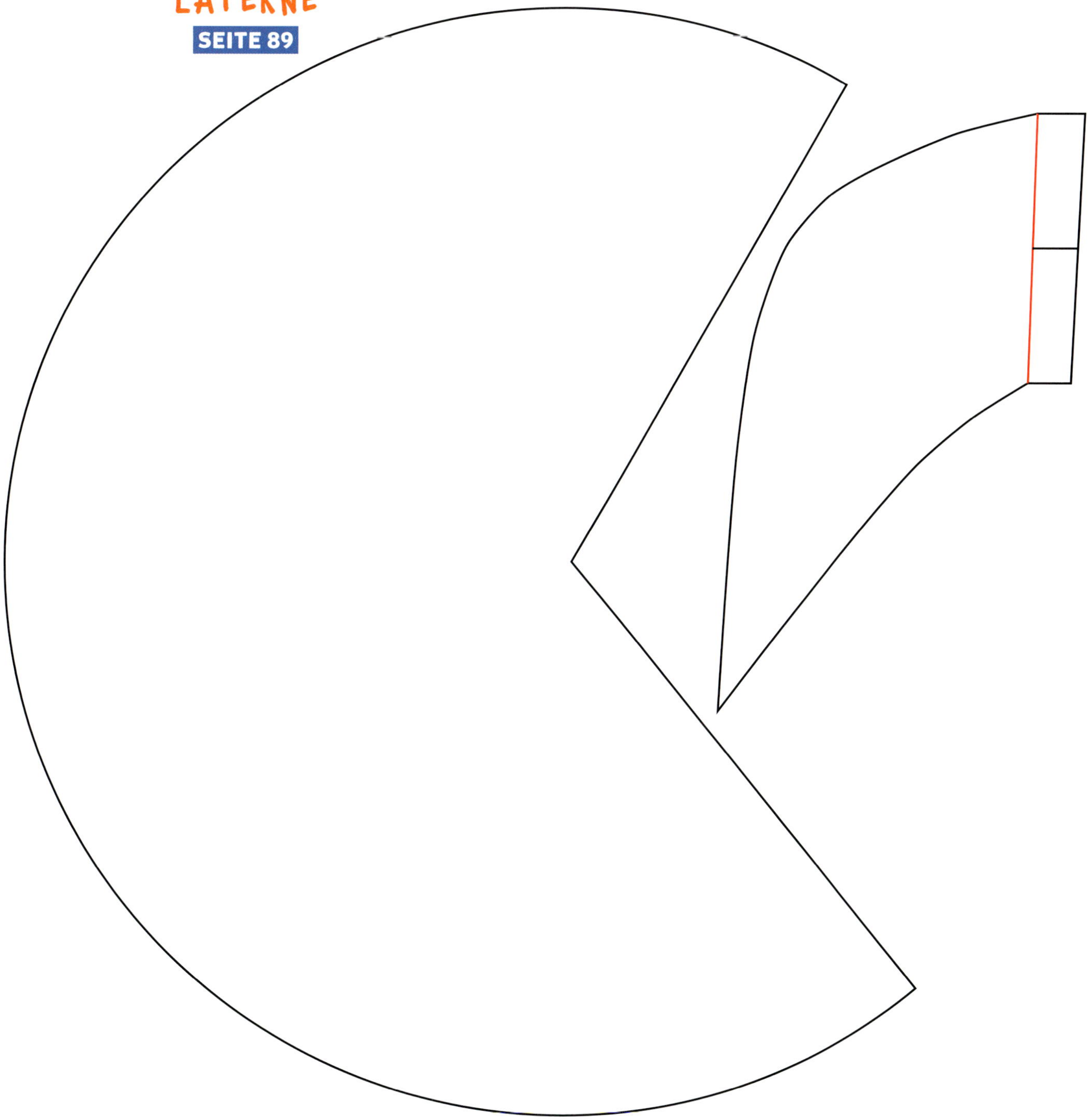

VORLAGEN WINTER

HAMPEL-ENGELCHEN

SEITE 115

Auf 200 % kopieren.

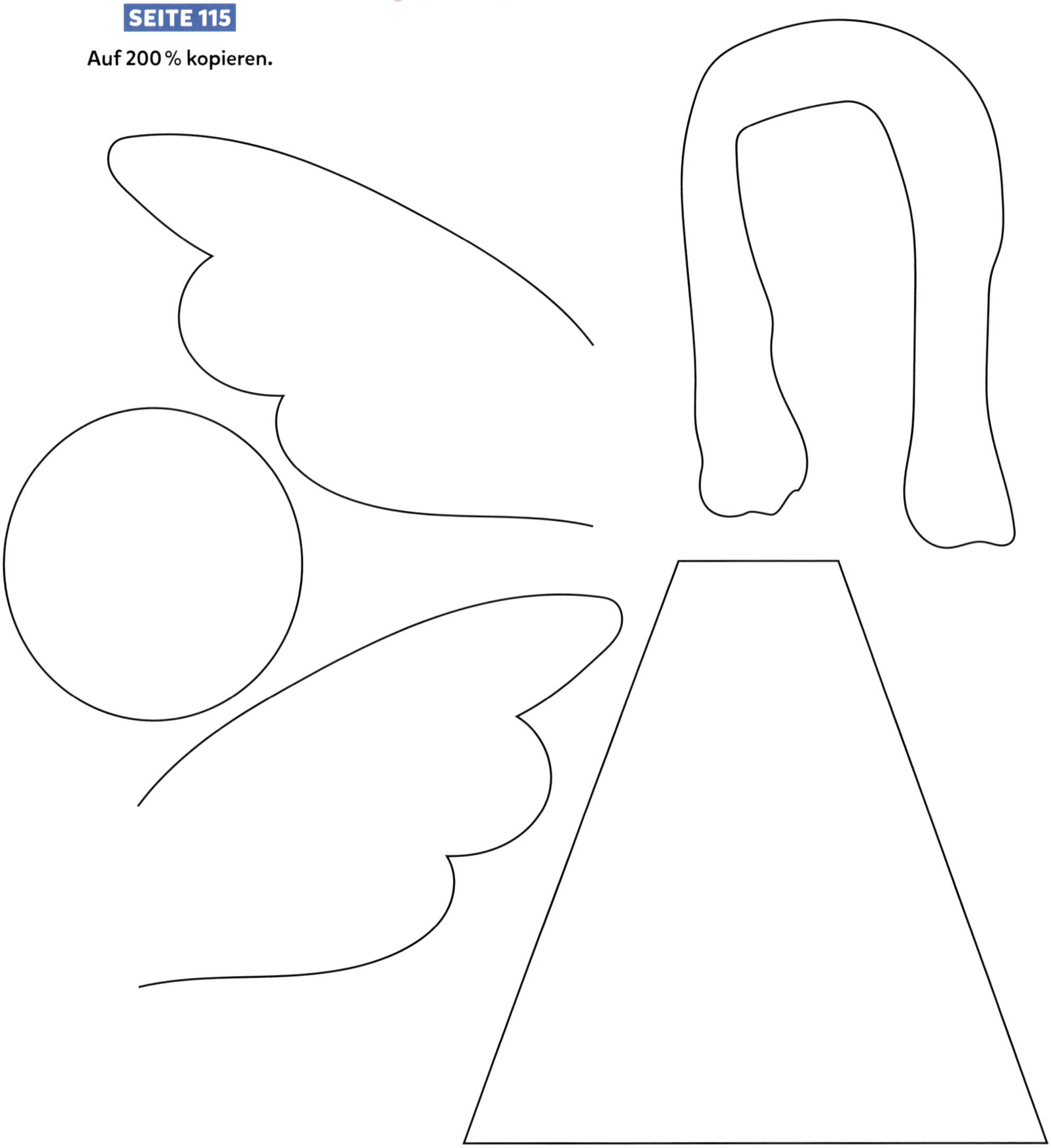

ÜBER DIE AUTORIN

Nach ihrem Studium der Anglistik war Lisa einige Jahre als Fotoredakteurin im DIY-Bereich tätig. Heute ist sie selbstständig und entwirft als Content Creator und Blogger DIY-Ideen für Magazine, Bücher und für ihren Blog dekotopia.net. Ihre Mission ist es, Menschen anzuregen, kreativ zu werden und selbst was zu erschaffen. Denn sie weiß genau, wie glücklich das macht.

DANKSAGUNG

So ein Bastelbuch zu machen ist schon ein großes Projekt, das man nicht ohne Hilfe umsetzen kann. Ich möchte hier gerne allen danken, die mich dabei unterstützt haben.

Vielen Dank an Lina, Simon und Tavi, die für das Buch Modell gestanden sind und meine Ideen so schön präsentiert haben. Ihr haucht meinem Buch Leben ein und ohne euch wäre es nur halb so schön!

Ein großes Dankeschön geht auch an Folia und an Rico Design, die mich sehr großzügig mit Bastelmaterial ausgestattet haben. Fast alles, was ich an Material benötigt habe, stammt von diesen beiden Firmen, wenn ihr also etwas für die Bastelkiste kaufen wollt, sucht in eurem Bastelladen nach diesen beiden Marken.

Natürlich möchte ich auch meinem Mann danken, der während des Corona-Lockdowns und der Kita-Schließung geholfen hat, mir Zeitfenster zum Basteln freizuschaufeln.

Der letzte Dank geht an den EMF Verlag für die reibungslose Zusammenarbeit, die mir so viel Spaß gemacht hat – und natürlich an euch, die das Buch gekauft haben und Spaß am Basteln und Gestalten haben!

IMPRESSUM

Bibliografische Information der Deutschen Bibliothek.

Die Deutsche Bibliothek verzeichnet diese Publikation in der Deutschen Nationalbibliografie. Detaillierte bibliografische Daten sind im Internet über http://www.dnb.de/ abrufbar.

EIN BUCH DER EDITION MICHAEL FISCHER

1. Auflage 2021

Fotos: Lisa Vogel, Rastatt

Covergestaltung und Layout: Sonja Bauernfeind
Satz: Bernadett Linseisen (schere.style.papier), München
Lektorat: Janine Sauer, Mareike Schlensog
Produktmanagement: Mareike Schlensog

ISBN 978-3-7459-0330-0

Gedruckt bei Polygraf Print, Čapajevova 44, 08001 Prešov, Slowakei

www.emf-verlag.de